Astuce et compagnie

Agathe Carrières • Colette Dupont

Français • 1er cycle du primaire

Manuel C

CEC
LES ÉDITIONS CEC INC.

8101, boul. Métropolitain Est, Anjou, Qc, Canada H1J 1J9
Téléphone : (514) 351-6010 Télécopieur : (514) 351-3534

Directrice de l'édition
Carole Lortie

Directrice de la production
Danielle Latendresse

Chargée de projet et réviseure
Monique Boucher

Correctrice d'épreuves
Marielle Chicoine

Conception et réalisation de la couverture
Alibi Acapella

Conception graphique et réalisation technique
**Matteau Parent graphisme
et communication inc. • Mélanie Chalifour
Alibi Acapella**

Illustrations
**Yves Boudreau
Pascale Constantin
Nicolas Debon
Rogé Girard
Steeve Lapierre
Josée Masse
François Thisdale**

Recherche de textes
Nadine Fortier

Conception des bricolages
Hélène Belley

Conception des activités de la rubrique *Une visite au musée*
Christine Corbeil

Conception des activités de la rubrique *À l'ordinateur avec Marilou*
André Roux

Les auteures désirent remercier **Chantal Harbec,** enseignante à l'école des Quatre-Vents de la commission scolaire Marie-Victorin, **Lise Labbé,** consultante en didactique du français, et **Ginette Vincent,** conseillère pédagogique à la commission scolaire Marie-Victorin, pour leurs précieuses remarques et suggestions en cours de rédaction. Elles remercient également **Dominique Trudeau** du Musée des beaux-arts de Montréal pour la coordination à la réalisation de plusieurs œuvres d'enfants.

Dans cet ouvrage, la féminisation des titres de fonctions et des textes s'appuie sur les règles d'écriture proposées par l'Office de la langue française dans le guide *Au féminin*, Les Publications du Québec, 1991.

© 2000, Les Éditions CEC inc.
**8101, boul. Métropolitain Est
Anjou (Québec) H1J 1J9**

Tous droits réservés. Il est interdit de reproduire, d'adapter ou de traduire l'ensemble ou toute partie de cet ouvrage sans l'autorisation écrite du propriétaire du copyright.

Dépôt légal : 3e trimestre 2000
Bibliothèque nationale du Québec
Bibliothèque nationale du Canada

ISBN 2-7617-1579-9

Imprimé au Canada
3 4 5   04 03

Sources iconographiques

Légende : (H) Haut — (B) Bas — (G) Gauche — (D) Droite — (C) Centre

p. 8 (B) © T. Atherton / Réflexion Photothèque.

p. 13 © Musée d'Orsay / © Photo RMN — R.G. Ojeda.

p. 14 (H) © Réjean Beaulieu. (C) © Wayne Wallingford. (B) © ANC : PA 122872.

p. 26 (G) © ANC : PA 13012. (C) © Ellefsen. (D) © M. Carr / Réflexion Photothèque.

p. 28 Œuvre de Lou-Qian Corriveau photographiée par Élise Guévremont.

p. 32 © Jeff Burke et Lorraine Triolo / Artville.

p. 41 © L'escale.

p. 42-43 © Stockbyte.

p. 52 © Jeff Burke et Lorraine Triolo / Artville.

p. 58 (H) © Daniel Kiefer / Cinémathèque québécoise. (B) © PhotoDisc.

p. 59 © Glasgow Museum : The Museum of Transport / E. Howden et M. Kinnear.

p. 62 (H) © Office national du film du Canada. Photo du film *IXE-13*, réalisé par Jacques Godbout / Cinémathèque québécoise. (B) © Véro Boncampagni. Photo du film *Matusalem II. Le dernier des Beauchesne*, réalisé par Roger Cantin / Cinémathèque québécoise.

p. 68 Illustration de Frédéric Back. © Radio-Canada.

p. 69 Illustration de Frédéric Back. © Radio-Canada.

p. 70-71 Extraits de l'album *Boule et Bill*, tome 20. © SPRL Jean Roba — © Dargaud Bénélux.

p. 84 (G) © Mauritius — Schwarz / Réflexion Photothèque. (D) © Mauritius — Grasser / Réflexion Photothèque.

p. 85 © Élise Guévremont.

p. 90-91 Illustration de Martine Bourre, pour *Le Noël du Bois Joli*, collection Pirouette, Didier Jeunesse, Paris, 1999.

p. 99-100 © Bill Tucker — Int'l Stock / Réflexion Photothèque.

p. 103 © Élise Guévremont.

p. 104 Boules de Noël : *Pomme d'Api*, n° 74, 1998. © Bayard Presse. Arbre de Noël : © Wayne Wallingford.

p. 106-107 Dominos : © All Over — U. Kröner / Réflexion Photothèque. Billes : © NSP/PP / Réflexion Photothèque. Marionnette : © C. Barrow — Int'l Stock / Réflexion Photothèque.

p. 112-113 © Élise Guévremont.

p. 114 © P. Camera / PonoPresse Internationales, Inc.

p. 118 Reproduit avec la permission de Normand Paquin, Ste-Adèle.

p. 128 © Y. Tessier / Réflexion Photothèque.

Pictogrammes des symboles présentés à la page IV :
Crayons : © PhotoDisc (p. 5, 17, 19, 31, 35, 44, 59, 62, 83, 85, 87).
Micro : © PhotoDisc (p. 2, 5, 7, 9, 13, 15, 17, 19, 21, 33, 37, 56, 62, 64, 69, 71, 74, 87, 89, 94, 107, 111, 113, 114, 118, 120, 122).
Feuille : © Artville (p. 31, 33, 40, 44, 51, 57, 59, 61, 67, 68, 69, 71, 77, 92, 94, 101, 107, 117, 121, 122, 125).
Jetons : © PhotoDisc (p. 28, 35, 54, 80, 104, 128).

Photo de la souris de la rubrique À l'ordinateur avec Marilou :
© Corel (p. 25, 52, 78, 102, 126).

Les Éditions CEC inc. remercient le gouvernement du Québec de l'aide financière accordée à l'édition de cet ouvrage par l'entremise du Programme de crédit d'impôt pour l'édition de livres, administré par la SODEC.

C'est déjà la rentrée des classes. Nous sommes très heureuses
de te retrouver. Astuce, Marilou et Ali sont au rendez-vous.
Tu passeras de bons moments en leur compagnie :
tu découvriras de belles histoires, tu communiqueras tes idées,
tu feras plein de choses intéressantes.
Nous te souhaitons une belle année à l'école.

Agathe et Colette

Astuce

Marilou

Ali

Table des matières

Voici des symboles qui t'aideront à reconnaître rapidement ce que tu dois faire :

 Fais un dessin.

 Communique oralement.

 Prends une feuille et un crayon.

Utilise des jetons.

Dans la collection **Astuce et compagnie**, tu trouveras toutes sortes de rubriques amusantes.

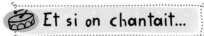 Et si on chantait...

Tu chanteras avec Astuce le chat.

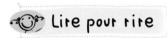 Lire pour rire

Tu liras une bande dessinée qui met en vedette le chien Coquin.

 Une histoire à écouter

Tu écouteras une histoire composée juste pour toi.

À l'ordinateur avec Marilou

Tu découvriras l'ordinateur
avec Marilou.

 Une visite au musée

Tu exploreras avec Ali
le merveilleux monde des arts.

Fais le point avec Astuce

Tu feras le point sur tout ce que
tu as appris en compagnie d'Astuce.

Un projet en classe

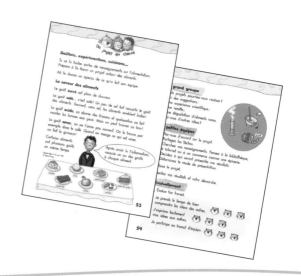

Tu réaliseras un projet
avec tes camarades.

Sur le chemin de l'école

Pascale Champagne-Rousseau, 9 ans

À la manière de Renoir

Ça y est! Te voilà de retour à l'école.
Que dirais-tu d'une petite chanson?

▼
Lis le titre de la chanson.
D'après toi, pourquoi
dit-on *Vive l'école*?

Photographie de Daisuke tirée de:
Children Just Like Me, Barnabas & Anabel
Kindersley, © Dorling Kindersley, 1996.

▼
Quel est ton couplet
préféré? Pourquoi?

▼
Que veut dire *on batifole*
dans le premier couplet?
Comment as-tu fait pour
en découvrir le sens?

Vive l'école!

1. Sur le chemin de l'école,
on s'amuse, on batifole,
mais quand on est arrivé,
c'est le temps de travailler.

2. Il faut entrer dans sa tête
plein de nombres et de lettres.
Lire, écrire et calculer,
c'est le métier d'écolier.

3. Nous entrerons dans la ronde
de tous les livres du monde.
Les lettres de l'alphabet
nous diront tous leurs secrets.

4. Avec les mathématiques,
cette jolie mécanique,
nous deviendrons les champions
des très longues additions.

5. Toute la classe bourdonne
quand soudain la cloche sonne.
On arrête les leçons.
Vive la récréation! │(bis)

Henriette Major

Quand vient la rentrée, les avis sont partagés. Certains aiment, d'autres n'aiment pas.

Est-ce que vous aimez la rentrée?

«J'adore la rentrée parce que je retrouve mes copains et mes copines. En plus, je ne m'ennuie plus. J'ai hâte de retrouver ma meilleure amie.»
Marilou

«Je suis un peu triste parce que la rentrée, c'est la fin des vacances. Mais je suis heureuse de retrouver mes copines, en particulier Aurore.»
Alicia

«Moi, j'aime autant l'école que les vacances. Ce que j'aime moins, c'est que je suis obligé de me lever tôt pour aller à l'école. Pendant les vacances, je dors tard…»
Ali

Adapté d'*Astrapi*, n° 447, sept. 1997.
© Bayard Presse.

Quel genre de texte est-ce? Comment as-tu deviné?

D'après le titre et les illustrations, de quoi sera-t-il question dans ce texte?

C'est difficile parfois de se lever le matin.
Lis le texte pour découvrir un bon moyen de tirer quelqu'un du lit.

Debout!

Ma petite sœur est au lit.
Avec douceur, maman lui dit:
«Debout, chérie, viens déjeuner!»
Elle ne veut pas se lever.

Elle dort encore. Rien à faire.
«Mon petit ange, dit son père,
Ma fille à moi, viens m'embrasser!»
Le sommeil a recommencé...

Grand-mère arrive et lui propose
Un bol fumant de chocolat.
Mais ses paupières restent closes
Et ma sœur ne se lève pas.

Bientôt, débarque la voisine
Avec un collier, des bonbons,
Une poupée, des mandarines…
Elle se rendort pour de bon.

Alors, je prends l'affaire en main.
Je m'approche et je crie soudain :
« Là ! Sur tes draps ! Une souris ! »
Et ma sœur bondit hors du lit.

© Jacques Charpentreau, *La banane à la moutarde*,
Paris, 1986.

Quel moyen a été utilisé pour faire lever la petite fille ?

Quel autre moyen peux-tu suggérer ? Fais un dessin pour l'illustrer.

Lire pour rire

▼
Regarde bien
les photos.
Que peux-tu dire
de chacune d'elles ?

Toutes les écoles du monde ne se ressemblent pas.
Lis le texte pour découvrir des ressemblances
et des différences.

C'est la rentrée !

Dans ton école, il y a des ordinateurs. Il y en a peut-être même un dans ta classe. Regarde cette grande salle d'informatique !

Ces écoliers habitent une grande ville de Chine. Pendant les cours d'informatique, chacun travaille sur un ordinateur. Quelle chance !
Ils apprennent à utiliser les moyens de communication modernes, comme Internet.

6

Ton école a des murs et des salles de classe. Cela te paraît normal? Pas si évident!

Cette école du Pakistan n'a pas de bâtiment. Les élèves se regroupent dehors au pied d'un tableau noir. Ils travaillent assis par terre.

Dans ta classe, les élèves ont de la place derrière leur pupitre. Est-ce toujours ainsi?

Dans ce village de Côte-d'Ivoire en Afrique, les écoliers sont très nombreux. Ils se serrent à trois sur le même banc. Leur école est une grande case en bambou construite sur un sol de terre battue.

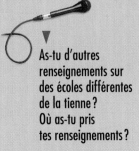

As-tu d'autres renseignements sur des écoles différentes de la tienne? Où as-tu pris tes renseignements?

Images Doc, n° 129, sept. 1999.
© Bayard Presse.

7

Combien de langues
différentes connais-tu ?
Lesquelles ?

Dis quelques mots que
tu connais dans une
autre langue.

Lis le texte. Tu y découvriras peut-être
des mots nouveaux.

Prête-moi des mots

Il y a beaucoup de langues
différentes. Partout, les gens
ont inventé des mots pour
parler de leur vie.
Celle-ci n'est pas
la même dans toutes
les régions. Voilà
pourquoi certains mots
existent dans une langue
et pas dans une autre.
Par exemple, la neige
est très importante pour
les Inuits et Inuites vivant
dans le Grand Nord.

Levi est inuit.
Il porte un parka.

Thi Liên vit au Viêtnam,
dans la tribu Dao. Ici,
elle porte le « lamchu »,
le costume traditionnel.

8

Ils ont donc plusieurs mots pour en parler. Dans leur langue, l'inuktitut, le mot «annu» désigne la neige qui tombe, «api», la neige au sol, «qali», la neige accrochée aux arbres... Ils ont un mot pour chaque sorte de neige! Les mots sont des outils précieux. S'il nous arrive d'en manquer dans une langue, on peut en emprunter dans une autre. Cette diversité est une des grandes richesses du monde!

Photographies de Thi Liên, Erdene et Oscar tirées de *Children Just Like Me*, Barnabas & Anabel Kindersley, © Dorling Kindersley, 1996.

Erdene vit en Mongolie. Son chapeau pointu s'appelle un «janjin malgai».

Oscar vit en Bolivie. Son bonnet de laine s'appelle un «lluchu».

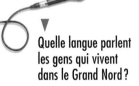

Quelle langue parlent les gens qui vivent dans le Grand Nord?

Quels mots nouveaux as-tu appris?

Le premier jour d'école

Ce matin, il fait chaud.
Je suis prêt. Mes cahiers sont beaux et encore tout blancs pour l'instant. Mon nouveau sac d'école sent le cuir. Je trouve qu'il sent bon. Mes gommes à effacer sentent le melon. C'est drôle.

C'est mon premier jour d'école aujourd'hui. J'y vais avec ma mère. On chante en marchant. Je suis très content. J'ai hâte d'apprendre plein de choses. J'ai vraiment hâte de savoir bien lire et écrire.

En arrivant à l'école, je vois les grands du troisième cycle. Ils ont l'air de géants. Moi, j'ai l'air d'un poussin. Un jour, moi aussi, je serai au troisième cycle.

Robert Soulières

Je comprends ce que je lis

1. a) Dessine le sac d'école du garçon.

   b) Dans le sac, il y a des cahiers et des gommes à effacer. Quels autres articles peut-il contenir? Nomme-les et dessine-les.

2. a) Quel est le titre du texte?

   b) Qui a écrit ce texte?

   c) Transcris une phrase qui dit pourquoi le garçon est content d'aller à l'école.

3. a) De qui est-il question dans le texte, d'une fille ou d'un garçon? Donne des indices qui te permettent de le savoir.

   b) Pourquoi dit-on que les cahiers sont blancs? Est-ce que cela signifie que leur couverture est blanche? Explique ta réponse.

Je reconnais des sons

jour	encore	bon	content
chaud	blanc	melon	géant
beau	nouveau	chante	poussin

Je sais orthographier

arbre	classe	enfant	pupitre
chapeau	cour	leçon	tableau
chaud	deuxième (2ᵉ)	lever	ville
chaude	élève	livre	voisin
chemin	encore	mot	voisine

Pour retenir l'orthographe d'un mot...

Stratégie 1 : J'observe le mot.

Moyens :

► Je remarque les particularités du mot.

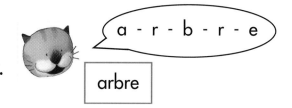

► J'épelle le mot
que j'ai sous les yeux.

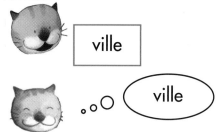

► Je regarde le mot.
Puis, je ferme les yeux.
J'essaie de voir
le mot dans ma tête.

► J'écris le mot que
j'ai sous les yeux.

classe

▼
Renoir aimait beaucoup peindre des personnages. Ses enfants lui servaient souvent de modèles.

Observe cette peinture et dis ce qu'elle représente.

Coco lisant, Auguste Renoir

▼
Qu'est-ce qui te plaît le plus dans ce tableau ?

▼
Comment appelle-t-on ce genre de tableau : un paysage, une nature morte ou un portrait ?

13

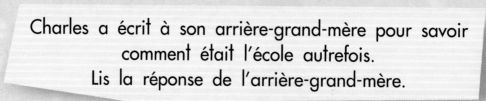

Charles a écrit à son arrière-grand-mère pour savoir comment était l'école autrefois. Lis la réponse de l'arrière-grand-mère.

Lettre d'une arrière-grand-mère

Cher Charles,

Cela me fait plaisir de te parler de mes premières expériences d'enseignante. J'ai eu ma première classe en 1923.

L'école était située à la campagne. C'était une petite maison en planches peintes en bleu. Mes élèves avaient entre six et treize ans. Nous avions l'électricité depuis un an, mais nous n'avions pas l'eau courante.

Avant de commencer la journée, un élève devait aller au puits chercher une chaudière d'eau pour boire. Il la suspendait à un gros clou fixé au mur. Au fond de la classe, un poêle à bois fournissait la chaleur. Les toilettes étaient à l'extérieur, dans une cabane de bois.

L'école commençait à 8 heures. Plusieurs enfants étaient en retard. Ils devaient parfois traire les vaches ou ramasser les œufs dans le poulailler avant de se rendre à l'école. Aussi, ils s'absentaient assez souvent. Il fallait qu'ils aident leurs parents lors des semences (au printemps) et des récoltes (à l'automne).

La plupart des élèves dînaient à l'école. Le menu était simple : deux ou trois tartines de beurre ou de mélasse ; parfois, une galette et, à l'automne, une pomme. Quand la journée était terminée, tous les enfants retournaient à la maison à pied.

Voilà. Lors de ta prochaine visite à Chicoutimi, je t'en raconterai davantage.

Je t'embrasse,

Ton arrière-grand-mère Desneiges

Compare l'école de cette arrière-grand-mère avec la tienne. Qu'est-ce qui est pareil ? Qu'est-ce qui est différent ?

Chacun a des droits et des devoirs pour favoriser un climat harmonieux à l'école.

Dans ta classe, il y a sûrement des règles de vie. Quelles sont-elles?

Dans la classe de Josée, on a inventé des règles qui rendent la vie agréable.
Lis le texte pour en connaître quelques-unes.

La classe de Josée

Ma sœur n'aime pas l'école. Dans sa classe, plusieurs élèves se moquent d'elle. C'est Samuel Côté qui a commencé. Josée, mon enseignante, ne laisserait pas faire ça dans notre classe. Samuel devrait s'excuser devant tout le monde.

Moi, j'aime l'école. Avec Josée, nous avons inventé des règles qui rendent la vie belle. Les moqueries sont interdites. Le tapage aussi. Dès qu'il y en a, Josée éteint la lumière. Tous les élèves se mettent alors à souffler pour éteindre le bruit, comme sur une bougie. «Nos têtes ne sont pas des poubelles à vacarme», dit Josée. Nous levons la main avant de parler. Quand nous parlons, les autres écoutent. Dans ma classe, on sourit. Et si on rit, ce n'est jamais de nos amis!

Danielle Simard

Quelles règles de vie de ta classe ressemblent à celles de la classe de Josée?

Crée de belles affiches pour chacune des règles de vie de ta classe.
Place-les sur le babillard.
Cela t'aidera à y penser…

Lis le texte et observe les illustrations.
Découvre ce que veulent dire
les panneaux de signalisation.

La signalisation

Les panneaux de signalisation sont nombreux.
Connais-tu celui qui se trouve devant le camion ?

Un panneau près de la cour de l'école signale aux automobilistes le passage des écoliers et écolières. Peux-tu le trouver ?

Il existe d'autres signaux de passage, par exemple :
– pour piétons ;
– pour personnes handicapées.

Les vois-tu sur l'illustration ?

18

Marilou et Ali vont faire une promenade au parc.
Ils amènent Coquin.

Ils aperçoivent plusieurs panneaux. Certains
soulignent des obligations. Par exemple,
les chiens doivent être tenus en laisse.

D'autres panneaux signalent des interdictions :
– Il est interdit de jeter des ordures.
– Les bicyclettes sont interdites.
– La baignade est interdite.

Cherche ces panneaux.

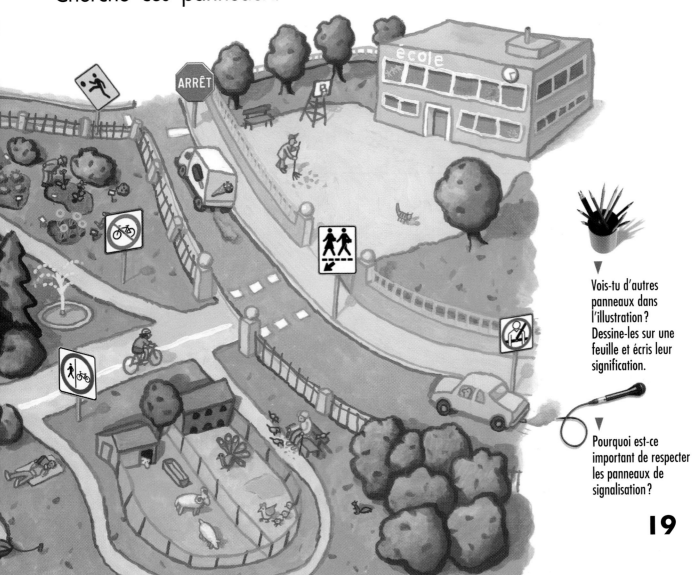

Vois-tu d'autres
panneaux dans
l'illustration ?
Dessine-les sur une
feuille et écris leur
signification.

Pourquoi est-ce
important de respecter
les panneaux de
signalisation ?

19

▼

Regarde l'illustration. D'après toi, que se passe-t-il dans cette histoire?

Marilou a eu très peur.
Lis le texte pour savoir ce qui lui a fait peur.

Au feu!

L'alarme d'incendie!
Marilou aiguisait son crayon près de la porte de la classe. En moins de deux, la voilà dans le corridor. « AU FEUUU! » crie-t-elle en dégringolant l'escalier sur le derrière. Les fesses en compote, elle galope vers la sortie. Ouf! Marilou saute dans la cour avant d'être rôtie! Et si l'école explosait! L'école, puis les autos, l'église…

Marilou décolle de plus belle. La fusée traverse la cour et la rue. Les autos l'évitent de justesse.

Marilou court, court, court, jusqu'à ne plus pouvoir respirer.

Mais où va-t-elle donc avec son crayon aiguisé? Où prend-on l'autobus scolaire quand l'école brûle? Marilou revient, tremblante et penaude. Dans la cour, les élèves, en rangs, attendent de rentrer. L'exercice de feu est terminé.

Danielle Simard

▼ Que penses-tu du comportement de Marilou? A-t-elle bien agi? Pourquoi?

▼ Que ressens-tu lorsqu'il y a un exercice de feu à l'école?

▼ Pourquoi fait-on des exercices de feu à l'école?

21

Les nouveaux camarades de classe

Je m'appelle Audrey. J'ai huit ans. À la rentrée scolaire, j'étais nerveuse. Dans ma nouvelle classe, je connaissais seulement Madeleine et Mathieu. Je me suis assise près d'eux. Je ne connaissais pas les autres élèves.

Aujourd'hui, monsieur Léger, mon enseignant, nous demande de nous présenter par écrit. Cela va nous aider à mieux nous connaître. Je sors mon crayon de mon bel étui. Je l'aiguise. Sur une feuille, j'écris que j'aime les oiseaux, le cirque et le chocolat. J'écris aussi que j'ai peur des aiguilles, du feu et des araignées.

Ensuite, chacun lit la feuille du voisin ou de la voisine. Nous rions beaucoup! J'aime mes nouveaux camarades!

Gilles Tibo

Je comprends ce que je lis

1. a) Comment s'appelle la petite fille de l'histoire?

   b) Aujourd'hui, qu'est-ce que M. Léger demande à ses élèves de faire?

2. a) Qu'est-ce qu'Audrey aime?

   b) De quoi Audrey a-t-elle peur?

   c) Écris une question que tu aimerais poser à Audrey.

3. a) Comment se sentait Audrey au début de l'année?

   b) D'après toi, comment se sent-elle maintenant? Qu'est-ce qui te permet de le dire?

Je reconnais des sons

huit	présenter	étui	feu
Madeleine	aider	aiguise	chacun
aujourd'hui	mieux	oiseau	voisine

Je sais orthographier

auto	dernier	grand-mère	parler
autobus	dernière	grand-père	quatorze
avant	douze	monde	quinze
bicyclette	ensuite	onze	seize
campagne	feu	papier	treize

J'en apprends plus sur la phrase

► J'observe deux phrases du texte :

Je m'appelle Audrey.

Je sors mon crayon de mon bel étui.

► Je remarque que :

- la phrase commence généralement par une lettre majuscule ;
- la phrase se termine généralement par un point (.), un point d'exclamation (!) ou un point d'interrogation (?) ;
- la phrase comprend plusieurs mots bien ordonnés ;
- la phrase a du sens.

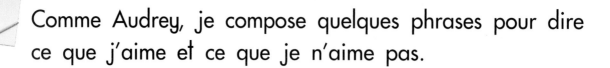

Comme Audrey, je compose quelques phrases pour dire ce que j'aime et ce que je n'aime pas.

Petit sondage

Te voilà de retour à l'école.
Quelques élèves sont contents et
contentes. D'autres sont un peu tristes
que les vacances soient déjà terminées.
Effectue un petit sondage afin de connaître
l'opinion de tes camarades.

 Les écoles branchées

Toutes les écoles se ressemblent-elles ?
C'est une question à laquelle Marilou aimerait
bien répondre. Aide-la en visitant virtuellement
les sites de quelques écoles.

Au fil du temps

L'école a changé au cours des années.
Aimerais-tu faire un diaporama qui montre
comment la salle de classe a évolué?
Pour y parvenir, écoute bien les directives
et regarde attentivement les vêtements
des personnages et les éléments de décor.
Ton montage doit respecter les différentes
époques illustrées.

Voici mon école !

Tu as peut-être fait connaissance avec de nouveaux camarades, un nouvel enseignant ou une nouvelle enseignante. Comme l'arrière-grand-mère de Charles, tu devras faire connaître ton école à d'autres personnes. Ce sera ton projet.

En grand groupe

Pensez au mot «école». Que connaissez-vous de votre école ? Qu'est-ce que vous aimeriez faire connaître de votre école ?

Par exemple :
– un événement spécial ;
– une personne importante ;
– une salle de classe ;
– une activité intéressante
  qui s'y déroule.

Quelle pourrait être la forme de la présentation ? Quels outils pourrait-on employer ? Par exemple, des crayons, des pinceaux ou de la peinture ? Ou bien l'ordinateur, le magnétophone, la caméra ? Qu'en dites-vous ?

À qui pourrait-on faire la présentation? Par exemple:

– aux autres élèves de l'école;

– à des élèves d'une autre école;

– à des parents.

Avez-vous d'autres idées?

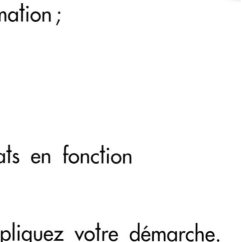

En petites équipes

Mettez-vous d'accord sur le projet:

a) le sujet que vous souhaitez présenter;

b) les moyens de vous procurer l'information;

c) les tâches de chacun et chacune;

d) à qui s'adresse la présentation;

e) la forme de la présentation.

Réalisez le projet. Organisez les résultats en fonction de la présentation.

Présentez vos résultats à d'autres et expliquez votre démarche.

Individuellement

Évalue ton travail.

J'ai partagé mes idées.

J'ai accompli ma tâche.

Je suis satisfait ou satisfaite des résultats.

À table !

François Pisapia, 7 ans

À la manière de Tissot

Découvre Dame Tartine tout en chantant.

Dame Tartine adore la nourriture. Elle l'utilise de bien des façons.

Dame Tartine

1. Il était une Dame Tartine
dans un grand palais de pain frais.
La toiture était d'aubergine,
le parquet était de navet,
la chambre à coucher,
de crème glacée,
le lit, de gâteau
garni d'abricots.

2. Cette dame aux yeux de noisettes,
aux cheveux en barbe à papa,
avait une bouche en galette
sur un beau teint de chocolat,
des joues rebondies
en pommes d'api,
un nez très coquin
formé d'un raisin.

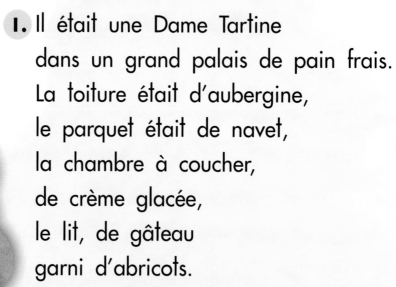

3. Sa jolie robe en omelette,
parsemée de fraises des bois,
comportait une collerette
de vingt-deux tranches d'ananas.
Son beau ceinturon
était en bonbons,
ses petits sabots,
en noix de coco.

4. Quand elle allait en promenade
dans un beau carrosse en bonbons,
sur des coussins de marmelade,
on disait : « Ah ! comme elle sent bon !
Elle sent la cannelle
et le caramel.
Cette dame-là,
on la croquera ! »

Henriette Major

Imagine une autre robe
pour Dame Tartine.
Dessine-la.

Ajoute un couplet
à la chanson.

T'es-tu déjà demandé à quoi servent les différents aliments que tu manges dans une journée ? Chaque aliment a un rôle très différent pour t'aider à grandir.

Lis le texte pour découvrir le rôle de chacun des aliments. Regarde ensuite les menus que Marilou et Ali te proposent.

Bien manger

Une nourriture variée t'aide à grandir et à rester en bonne santé.

La viande, le poisson et les œufs assurent le développement de ton corps et de tes muscles.

Les produits laitiers te permettent de garder de bons os et de bonnes dents.

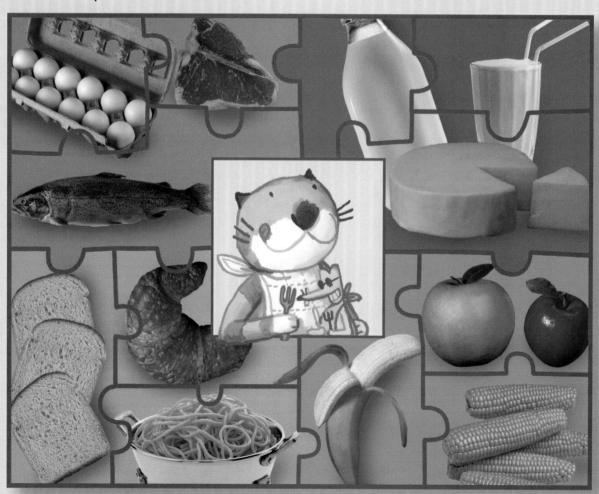

Le pain, les céréales et les pâtes te donnent de l'énergie.

Les légumes et les fruits t'apportent des vitamines pour combattre les microbes.

Marilou et Ali te proposent trois menus santé pour ta boîte à lunch.

Fruits à volonté

1/2 pain pita au blé entier avec jambon et ananas broyés
Fromage, raisins et carottes en bâtons
Muffin aux bleuets
Jus de fruits

Légumes en quantité

Tortilla au blé entier avec poulet, fromage et légumes hachés
Céleri et radis frisés
Yogourt aux pêches
Jus de légumes

Céréales en variété

Pain de blé entier avec œufs et fromage
Salade de macaroni avec poivrons rouges et verts
Biscuit à l'avoine
Lait fouetté aux fraises

Viandes et substituts
Produits laitiers
Produits céréaliers
Légumes et fruits

La cuisine, c'est une affaire d'équipe !
En groupe de quatre, rédigez un menu santé et donnez-lui un titre original.

Présentez votre menu à la classe.

33

Lis le texte pour connaître le chemin des aliments dans ton corps.

Le chemin des aliments

1 D'abord, on mâche les aliments avec nos dents. Ça les réduit en tout petits morceaux et ça les mélange à la salive. Après, gloups, on les avale.

3 L'estomac, il est là! C'est une grande poche élastique qui fonctionne comme un robot de cuisine. Il fait de la bouillie avec les aliments. Ensuite, il les pousse dans l'intestin.

5 Ce qui est bon va dans le sang et nourrit tout notre corps. Ce qui n'est pas utile est jeté quand on fait pipi ou caca.

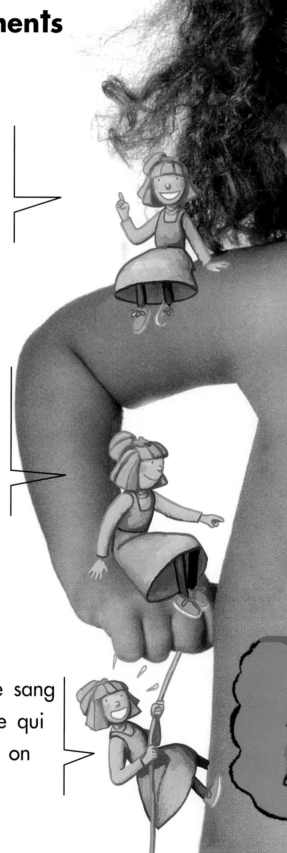

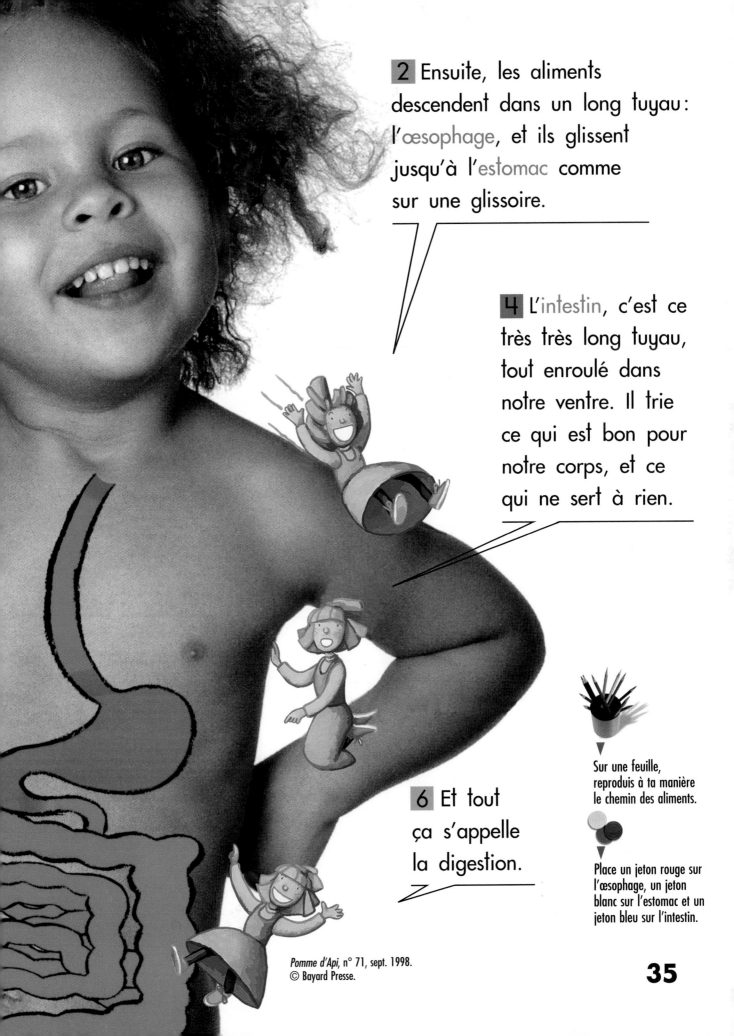

2 Ensuite, les aliments descendent dans un long tuyau : l'œsophage, et ils glissent jusqu'à l'estomac comme sur une glissoire.

4 L'intestin, c'est ce très très long tuyau, tout enroulé dans notre ventre. Il trie ce qui est bon pour notre corps, et ce qui ne sert à rien.

6 Et tout ça s'appelle la digestion.

Sur une feuille, reproduis à ta manière le chemin des aliments.

Place un jeton rouge sur l'œsophage, un jeton blanc sur l'estomac et un jeton bleu sur l'intestin.

Pomme d'Api, n° 71, sept. 1998.
© Bayard Presse.

Le béluga est un
mammifère marin.
Que sais-tu d'autre
sur cet animal ?

▼

Observe les illustrations
et imagine cette histoire.

Lis ce texte pour découvrir ce qui
arrive à l'ogre Béluga.

L'ogre Béluga

Un matin, l'ogre Béluga enfile son
pantalon rouge. C'est son préféré.
Mais il a beau tout essayer,
il est incapable de l'attacher.
Son ventre est trop gros.

– Je me mets immédiatement
au régime ! décide Béluga.
Fini les chevaux farcis aux
citrouilles. Fini les tartes
aux hippopotames. Je ne
vais manger que du
brocoli bouilli et des
biscottes sans beurre.

L'ogre a à peine dit
ces mots qu'il se met
à pleurer. Il ne
supporte pas l'idée
d'être privé de
nourriture.

36

Des rivières de larmes coulent de ses énormes yeux. Il pleure tellement qu'un lac se crée à ses pieds. L'eau monte. Béluga est bientôt obligé de nager. À force de barboter, il se transforme en baleine blanche.

Depuis ce jour, Béluga est heureux. Il s'empiffre de poissons toute la journée.

Carole Tremblay

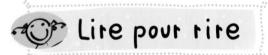

Selon toi, cette histoire est-elle réelle ou imaginaire ? Pourquoi ?

Lire pour rire

Le festin de Julien

Il est onze heures moins vingt. Julien a très faim. Son bol de céréales et ses deux tranches de pain de ce matin sont bien loin.

Midi sonne enfin. Notre champion pense à son sandwich au jambon et au fromage. Il a aussi deux bons fruits et des légumes. Sans oublier son berlingot de lait.

Julien ouvre sa boîte à lunch. Désolation, elle est vide! Julien, l'étourdi, a oublié son dîner à la maison.

Julien se tourne vers son amie Claude. Elle a tout compris.
— Tiens, voici une moitié de mon sandwich.
— Merci Claude! Demain, je vais apporter plein de bonnes choses, pour nous deux.

Robert Soulières

Je comprends ce que je lis

1. a) Qu'est-ce que Julien a mangé pour déjeuner?
   b) Comment s'appelle l'amie de Julien?

2. a) Qui a un problème dans cette histoire?
   b) Quel est ce problème?

3. a) Claude est une fille dans l'histoire.
   Trouve des indices dans le texte qui
   te permettent de le savoir.
   b) Qui a écrit cette histoire?

J'associe des lettres à des sons

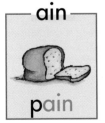

ain

pain

ein

ceinture

en

chien

oin

foin

refrain	plein	Julien	moins
demain	frein	bien	loin
nain	ceinturon	lien	point

Je sais orthographier

carotte	fruit	lit	œufs
chose	heureuse	loin	pain
comme	heureux	manger	pantalon
dame	jambon	merci	salade
dent	légume	œuf	tomate

Pour retenir l'orthographe d'un mot...

Stratégie 2 : Je fais des liens entre l'oral et l'écrit.

Moyens :

▶ Je compare la manière de dire le mot
à la manière de l'écrire.

▶ Je découpe le mot en syllabes.

Je sais écrire

Je choisis dix mots de la liste du haut de la page.
Je les donne en dictée à un ou une autre élève.
À mon tour, j'écris les mots qu'il ou qu'elle me dictera.

Lis le texte pour connaître le secret
du bon goût d'un dessert de sorcière.

Marilou cherchait une recette
pour célébrer l'Halloween.
Elle est allée naviguer dans
Internet.

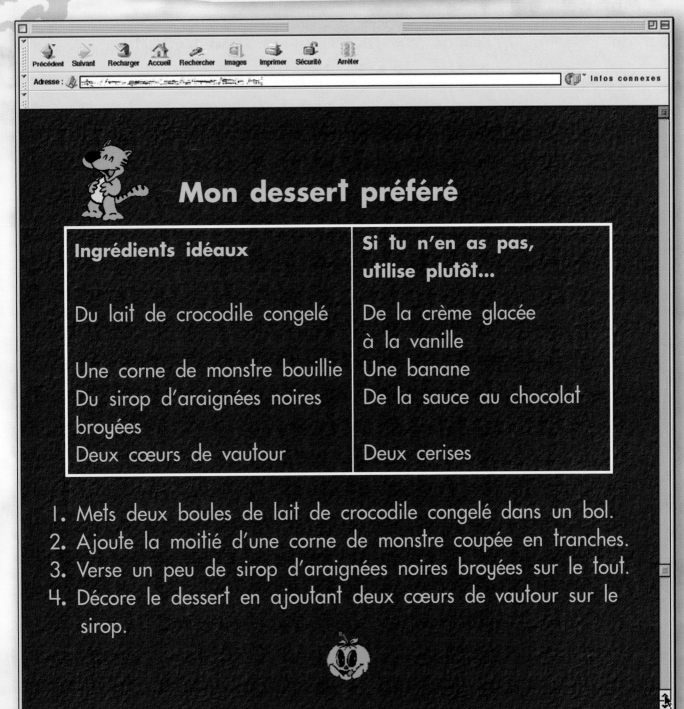

Mon dessert préféré

Ingrédients idéaux	Si tu n'en as pas, utilise plutôt...
Du lait de crocodile congelé	De la crème glacée à la vanille
Une corne de monstre bouillie	Une banane
Du sirop d'araignées noires broyées	De la sauce au chocolat
Deux cœurs de vautour	Deux cerises

1. Mets deux boules de lait de crocodile congelé dans un bol.
2. Ajoute la moitié d'une corne de monstre coupée en tranches.
3. Verse un peu de sirop d'araignées noires broyées sur le tout.
4. Décore le dessert en ajoutant deux cœurs de vautour sur le sirop.

Si tu as accès à Internet,
cherche d'autres idées
amusantes de recettes.

41

Attention aux chats noirs!

Matériel

- 1 dé

- des pions

Règles du jeu

1 Placez vos pions sur la case Départ.

2 À tour de rôle, lancez le dé et avancez votre pion.

3 Lisez la consigne et faites ce qui est indiqué.
Sur une citrouille, on joue une autre fois ;
sur un chat noir, on passe son tour.

4 Celui ou celle qui revient à la maison
en premier gagne la partie!

20

19 Tu bouscules tes camarades : recule de 3 cases.

18

17 Tu t'éloignes de ton groupe d'amis : recule de 1 case.

16

21 Tu fais vérifier ton sac de bonbons : tu as gagné!

Départ

1 Tu planifies l'heure du retour avec tes parents : avance de 1 case.

2 Tu portes un costume court. Félicitations !

3

4 Ton masque t'empêche de bien voir : recule de 2 cases.

Ton maquillage est très réussi : avance de 1 case.

Tu utilises une lampe de poche : avance de 3 cases.

Tu sonnes aux maisons bien éclairées : avance de 1 case.

Tu portes une bande réfléchissante : avance de 1 case.

Tu traverses la rue aux intersections : avance de 1 case.

43

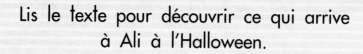

Lis le titre et regarde
les illustrations.

D'après toi, pourquoi
les enfants ont-ils peur
d'Ali?

Partage tes idées avec
les membres d'une
petite équipe.

Qui a peur d'Ali?

Ali est à l'école même s'il fait un peu de fièvre.
La cloche sonne enfin. Ali rentre vite chez lui.
C'est l'Halloween aujourd'hui.
Sur son passage, il rencontre deux
pirates effrayés. Un peu plus loin,
Dracula pousse un cri
d'horreur. Le chien du voisin jappe plus fort
que d'habitude. Mais pourquoi le regardent-ils
comme ça?

Ali poursuit son chemin. Il rencontre
deux faux policiers en patins à
roulettes. Ils lui jettent un drôle
de regard. C'est bizarre, tout ça!
Mais, à l'Halloween, il ne faut s'étonner de rien.

Quel sera ton
déguisement cette
année? Décris-le en
quelques phrases.

Échange ta description
avec une amie ou un
ami. Illustre son costume.

Compare son dessin à ton
déguisement. Manque-t-il
des éléments? Si oui,
complète-le.

Ali ouvre la porte de sa maison. Sa mère pousse
un grand cri.

– Qu'est-ce qu'il y a? demande Ali.

– Mon pauvre Ali, tu as la varicelle! Ton visage
est couvert de boutons.

Ali a tout compris. Et dire qu'il avait choisi de se
déguiser en médecin!

Robert Soulières

44

L'auteure Carole Tremblay

Quand j'ai eu six ans, ma mère m'a abonnée à la bibliothèque du quartier. Il fallait marcher neuf rues pour y arriver. Pour moi, c'était le bout du monde, mais c'était aussi mon expédition préférée.

Mme Tremblay a écrit une histoire juste pour toi. Elle s'intitule **Le petit bonbon et le gros lutin.** Rogé est l'illustrateur de l'histoire. Voici ce qu'il nous a dit: « J'ai bien aimé cette histoire parce qu'elle m'a rappelé tout le plaisir de l'Halloween. La dernière fois, je voulais me costumer en grain de maïs… Peut-être qu'un géant m'aurait trouvé appétissant moi aussi. »

Les personnages

Constantin le lutin   Étienne

45

Le petit bonbon et le gros lutin

Au pays des lutins, on fête l'Halloween comme partout ailleurs. Le 31 octobre, quand la nuit d'automne descend sur la forêt, on peut apercevoir de tout petits bonshommes se promener. Certains sont déguisés en sorcières, d'autres en clowns, d'autres encore en astronautes.

Constantin le lutin a décidé, lui, de se déguiser en bonbon. L'idée lui est venue pendant l'été. Il marchait du côté de l'étang quand il a trouvé un papier d'emballage tout à fait à sa taille. C'est un papier rose, translucide, qui fait du bruit quand on le froisse. Constantin l'a gardé précieusement dans sa cachette, sous le petit sapin.

Le soir de l'Halloween, Constantin court à sa cachette pour y chercher son beau papier. Il commence par s'entortiller les pieds. Frrrrruich! Frrrrruich! Puis, c'est le tour de sa tête. Frrrrruich! Frrrruich! Constantin se mire dans l'étang. Il est très fier. Son déguisement est tout à fait réussi! On jurerait un vrai bonbon qui marche.

Le seul problème, c'est que Constantin ne voit pas grand-chose à travers le papier. Surtout maintenant que la nuit est presque tombée... Tant pis! Constantin part rejoindre ses amis.

Il marche, il marche. Il s'étonne de ne pas rencontrer le gros bouleau. Pourtant, il devrait déjà l'avoir dépassé... Il fait encore quelques pas avant de s'apercevoir que... Oh non! Il s'est trompé de route. Il est devant la maison des humains!

Constantin veut rebrousser chemin. C'est alors qu'il aperçoit le plus grand lutin qu'il ait jamais vu ! Il est au moins cent fois plus grand que lui. Le lutin géant avance vers Constantin, une citrouille sous le bras. Il a un regard curieux. Il s'arrête. Il se

penche vers Constantin. Au moment où la grosse main s'apprête à l'attraper, Constantin pousse un hurlement et se met à courir de toutes ses forces. Le lutin géant pousse un cri à son tour et s'enfuit comme s'il avait vu un monstre.

Rentré à la maison, Étienne a eu beau répéter à tout le monde son aventure. Rien à faire. Personne n'a jamais voulu croire qu'il avait vu un bonbon hurlant courir vers la forêt !

Carole Tremblay

Froid ou peur?

Le soir de l'Halloween, je mange des nouilles aux tomates aromatisées de cerfeuil et de basilic. Ensuite, je fouille dans le coffre de vieux vêtements.

Je me déguise en pirate, mon père se déguise en fripouille et ma mère en sorcière. Notre maquillage est très réussi. Nous quittons la maison pour passer l'Halloween. Il y a des citrouilles devant les maisons. Je croise un écureuil géant, une grenouille et... Dracula.

Je n'ai pas peur... Je n'ai pas peur... Si je tremble comme une feuille, c'est tout simplement parce que j'ai froid!

Gilles Tibo

49

Je comprends ce que je lis

1. a) Du cerfeuil, c'est : ■ une boîte.

   ▲ une plante aromatique.

   ● un animal.

   b) Trembler comme une feuille,

   c'est : ■ se sentir léger.

   ▲ trembler beaucoup.

   ● ne pas trembler du tout.

2. a) Avec quoi les maisons sont-elles décorées ?

   b) Dessine la mère dans son déguisement.

3. Le personnage principal a-t-il froid ou peur ? Explique ta réponse.

J'associe des lettres à des sons

ill
chen**ill**e

euil
f**euil**le

ouil
citr**ouil**le

maqu**ill**age

cerf**euil**

f**ouil**le

f**ill**e

écur**euil**

citr**ouil**le

qu**ill**e

chevr**euil**

gren**ouil**le

Je sais orthographier

banane	cri	nez	sorcière
café	dé	nos	visage
chercher	feuille	notre	vos
chocolat	lait	nous	votre
citrouille	melon	patate	vous

J'en apprends plus sur le nom et le déterminant

► J'observe les mots soulignés dans une phrase du texte :

dét. nom   dét. nom   nom

Je croise un écureuil géant, une grenouille et... Dracula.

► Je remarque que :

• le nom désigne des personnes, des animaux, des objets, des lieux, des sentiments, des activités, etc. ;

• le nom est généralement précédé d'un déterminant (par exemple le, la, les, un, une, des) ;

• il y a des noms communs (*écureuil*) et des noms propres (*Dracula*) ;

• les noms propres commencent par une lettre majuscule (*Dracula*).

Sur une feuille, je décris une maison décorée pour l'Halloween.
J'échange mon texte avec un ou une autre élève.
Je souligne les noms et les déterminants dans son texte.

Tante Charlotte

Tante Charlotte ne prend pas toujours soin de sa santé. Elle ne fait pas attention aux aliments qu'elle mange. Donne-lui quelques conseils.

 Le gâteau au citron

Aimes-tu les desserts? Marilou te propose de confectionner un gâteau virtuel. Qui sait? Ça te donnera peut-être le goût d'en préparer un vrai chez toi...

 **Tu grandis**

Tu grandis un peu tous les jours, le savais-tu? Cette activité va te permettre de te voir «grandir» pendant ton année scolaire.

52

Goûtons, expérimentons, cuisinons...

Tu as lu toutes sortes de renseignements sur l'alimentation. Prépare à ta façon un projet autour des aliments.

Ali te donne un aperçu de ce qu'a fait son équipe.

La saveur des aliments

Le goût **sucré** est plein de douceur.

Le goût **salé**... c'est salé! Un peu de sel fait ressortir le goût des aliments. Souvent, sans sel, les aliments semblent fades!

Le goût **acide**, ça donne des frissons et quelquefois ça fait monter les larmes aux yeux. Mais on peut trouver ça bon!

Le goût **amer**, on ne l'aime pas souvent. On le trouve par exemple dans le café. Quand on mange ce qui est amer, on fait la grimace!

Certains aliments ont plusieurs goûts en même temps.

Après avoir lu l'information, associe un ou des goûts à chaque aliment.

Pomme d'Api, n° 73, nov. 1998.
© Bayard Presse.

fromage   citron   galette d'avoine   gâteau aux carottes   chocolat noir   pomme   cornichons

En grand groupe

Quels projets pourriez-vous réaliser?
Voici des suggestions:
– une expérience scientifique;
– une recette;
– une dégustation d'aliments rares.
Avez-vous d'autres idées?

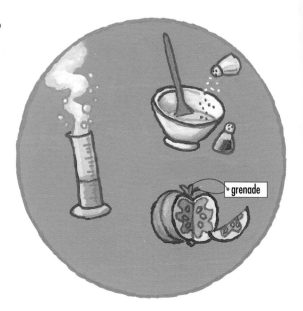
grenade

En petites équipes

Mettez-vous d'accord sur le projet.
a) Partagez les tâches.
b) Cherchez vos renseignements. Pensez à la bibliothèque, à Internet ou à un commerce comme une épicerie.
c) Décidez à qui seront présentés vos résultats.
d) Déterminez le mode de présentation.

Réalisez le projet.

Présentez vos résultats et votre démarche.

Individuellement

 Évalue ton travail.

Je prends le temps de bien
comprendre les idées des autres.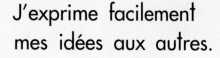

J'exprime facilement
mes idées aux autres.

Je participe au travail d'équipe.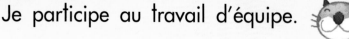

54

Sons et images

Il était une fois...

Lou-Qian Corriveau, 7 ans

À la manière de Frédéric Back

Et si on chantait...

▼
Lis le titre et observe l'illustration.

D'après toi, de quoi sera-t-il question dans la chanson ?

On peut s'informer et se divertir grâce au son et à l'image. Lis la chanson pour en savoir plus.

Sons et images

1. Moi, j'aime les images,
celles qui sont bien sages
avec plein de mots
comme dans les journaux,
celles qu'on voit bouger
comme à la télé.

Refrain :
Mais mes images préférées
sont les dessins animés. | (bis)

2. Quand je me promène
en fin de semaine,
j'ai mon baladeur,
ça fait mon bonheur.
S'il ne fait pas beau,
j'ai mes vidéos.

3. Avec mes amis,
ou ma sœur Laurie,
quand on a congé
on va au ciné.
Sur le grand écran,
le monde est géant.

Henriette Major

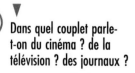

▼
Dans quel couplet parle-t-on du cinéma ? de la télévision ? des journaux ?

▼
Qu'est-ce que tu préfères : le cinéma, la télévision, la radio ? Explique pourquoi.

56

Lis le texte pour découvrir les qualités d'un inventeur ou d'une inventrice.

D'où viennent les inventions ?

À peu près tout ce qui nous entoure a été inventé un jour. Certaines inventions datent de milliers d'années, d'autres de quelques années seulement. Ces inventions visent souvent à faciliter la vie au travail ou à la maison. Elles divertissent aussi. Des hommes et des femmes sont à la source de ces inventions. Nous te présentons ici quelques qualités d'un bon inventeur ou d'une bonne inventrice.

Le téléviseur, la radio, le baladeur, voilà des objets qui font partie de ta vie de tous les jours. Mais, à une époque, ils n'existaient pas. Il a fallu l'imagination d'inventeurs et d'inventrices. Qui sont ces gens ?

Imaginatif adj. Qui a beaucoup d'idées, qui peut inventer toutes sortes de choses.

Curieux adj. Qui veut voir, savoir quelque chose.

Persévérant adj. Qui poursuit son effort sans se décourager.

Pense à un inventeur ou à une inventrice que tu as vu dans un film. Décris cette personne. A-t-elle des qualités semblables à celles données ici ?

Adapté du *Robert Junior illustré*, © Dicorobert, 1993.

57

Un monde sans télévision ? Cela te semble impossible...

L'invention de la télévision ne date pourtant pas de si longtemps. Et, à ses débuts, la télévision était bien différente d'aujourd'hui.

Lis le texte pour en connaître un peu plus sur quelques inventions.

Quelques inventions

Inventeurs : **Les frères Lumière**

Invention : **Cinéma**

Lors de la première représentation publique, les spectateurs et spectatrices fuient à la vue du train qui semble sortir de l'écran. Les films étaient muets. Un ou une pianiste suivait les images et créait l'ambiance.

Ligne du temps

1895   **1900**   **1926**

Inventeur : **Guglielmo Marconi**

Invention : **Radio**

Les émissions de radio musicales sont apparues vers 1920. La radio a vite occupé une place importante dans les salons. On écoutait de belles chansons ou des histoires.

Inventeur : **Léon Gaumont**

Invention : **Cinéma parlant**

Le premier film parlant n'est présenté qu'en 1927.

58

Inventeur : **John L. Baird**

Invention : **Télévision**

Le premier téléviseur est incapable de reproduire les images et le son en même temps. Les gens voient d'abord l'acteur ou l'actrice jouer. Ensuite, ils entendent sa voix. Les premiers téléviseurs sont apparus dans les maisons vers 1930.

1935

1979

Inventeur :

Telefunken

Invention :

Magnétophone

Inventeur :

Sony Corporation

Invention :

Baladeur

À ton avis, quels sont les avantages et les inconvénients de ces inventions ?

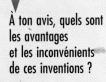

À quoi ressembleront le cinéma, la radio et la télévision de demain ?

Fais un dessin de ce que tu imagines.

59

On tourne !

C'est sur un plateau de tournage qu'on filme pour la télévision ou le cinéma. Quelquefois, le tournage a lieu à l'extérieur, dans des décors naturels.

Plus souvent, il a lieu à l'intérieur, dans un studio. Certains studios sont assez grands pour qu'on y recrée des villes entières. Bien des personnes sont présentes sur le plateau. Chacune a un rôle important à jouer.

Maintenant, silence, on tourne !

La réalisatrice dirige le tournage.

La cadreuse filme les images.

L'éclairagiste s'occupe de l'éclairage.

Les acteurs jouent la scène.

La scripte vérifie que tout est bien en place.

Le perchiste tend le micro aux acteurs et actrices.

Écris les titres de quelques-unes de tes émissions de télévision préférées. Explique pourquoi ce sont tes émissions préférées.

On trouve les noms des personnes qui travaillent sur un plateau de tournage dans le générique. La prochaine fois que tu regarderas une émission ou un film, observe le générique.
Tu y verras peut-être les noms des métiers que tu viens d'apprendre.

61

▼ D'autres personnes travaillent derrière la scène.

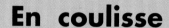

Amuse-toi à découvrir ce qui se passe dans les coulisses du cinéma.

En coulisse

Les décors

Les décors recréent un lieu où le tournage est difficile ou impossible. Ils servent aussi à reproduire une ambiance, une époque par exemple.

Le maquillage et les costumes

Le maquillage sert à transformer les acteurs et actrices. Il peut les rendre plus jeunes ou plus vieux, plus méchants ou monstrueux. Les costumes sont importants pour situer les personnages dans leur époque.

▼ Imagine-toi acteur ou actrice de cinéma. Dessine-toi en costume de scène. Ajoute aussi sur le dessin de ton visage le maquillage approprié pour la scène.

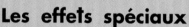

Les effets spéciaux

Grâce aux effets spéciaux, la forme, la couleur et la taille de l'image peuvent être modifiées. Les sons peuvent aussi être transformés. Par exemple, dans le film « Le Parc jurassique », les cris des tyrannosaures ont été créés à l'ordinateur. On a mélangé les cris de l'éléphanteau, du tigre et de l'alligator.

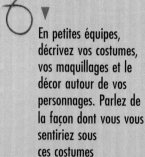

▼ En petites équipes, décrivez vos costumes, vos maquillages et le décor autour de vos personnages. Parlez de la façon dont vous vous sentiriez sous ces costumes et ces maquillages.

Lis le texte pour découvrir ce qui arrive à Vladimir.

Il y a des jours où rien ne va. Ça t'est sûrement déjà arrivé aussi. Raconte ce qui s'est passé ce jour-là...

Une journée à l'envers

Comme tous les matins, Vladimir Bure prend son auto pour aller travailler. Mais ce matin n'est pas un matin comme les autres.

Il s'est levé en retard.
Il a marché sur la queue du chat.
Il a renversé son café brûlant
sur sa nouvelle cravate. Et il vient
de s'apercevoir qu'il a oublié son lunch
à la maison. Il y a des jours, comme ça,
où rien ne va...

63

Sur l'autoroute, il allume la radio. L'animatrice, tout excitée, annonce :

– Attention ! on nous signale qu'un conducteur fou circule sur l'autoroute en sens inverse.

Il risque de provoquer de graves accidents !

Vladimir vient de réaliser que quelque chose ne tourne pas rond !

– Mais c'est à la radio qu'ils sont fous ! Il n'y a pas qu'une voiture qui roule en sens inverse ! Il y en a des centaines !!!

Michel Luppens

De qui parle l'animatrice ?

Rien ne va pour Vladimir... Explique pourquoi.

Lire pour rire

64

Walter, ma sœur et moi

L'autre jour, j'étais avec Walter à la maison.
Il faisait trop froid pour jouer dehors.
On regardait la télévision avec ma sœur
Marie-Pierre. C'était un documentaire
sur les animaux sauvages.

Les gorilles couraient partout. Ils jouaient
à se faire peur. Le plus gros des gorilles
gardait l'œil bien ouvert. Il regardait tout
le monde de travers. Ma sœur voulait
changer de chaîne. Walter et moi,
on ne voulait pas.

Grand-père est arrivé juste à temps.
Il a jeté un regard sévère. Puis,
en chantant, il a dit :
« Mes enfants, voici
un liquide bienfaiteur. »

Bravo ! Un bon chocolat
chaud. Ça nous a fait
oublier un peu le temps froid.
Et ma sœur... a oublié de
changer de chaîne.

Robert Soulières

65

Je comprends ce que je lis

1. a) Quel est le nom de la petite fille ?
   b) Que font les enfants ?

2. a) Quel type d'émission regardent-ils ?
   b) De quel animal parle-t-on
      dans le texte ?

3. a) Que signifie le mot « chaîne »
      dans le texte ?
   b) Quelle stratégie as-tu utilisée pour le savoir ?

J'associe des lettres à des sons

eur
balad**eur**

œur
c**œur**

er
v**er**

p**eur**	s**œur**	Walt**er**
audit**eur**		ouve**r**t
bienfait**eur**		trave**r**s

Je sais orthographier

baladeur	folle	jour	radio
cinéma	fort	journée	soir
cœur	forte	matin	soirée
dessin	fou	nuit	télévision
enfin	image	pluie	vouloir

Pour retenir l'orthographe d'un mot...

Stratégie 2 : Je fais des liens entre l'oral et l'écrit.

Moyen :

► Je regroupe les mots qui contiennent un même son qui s'écrit de la même façon.

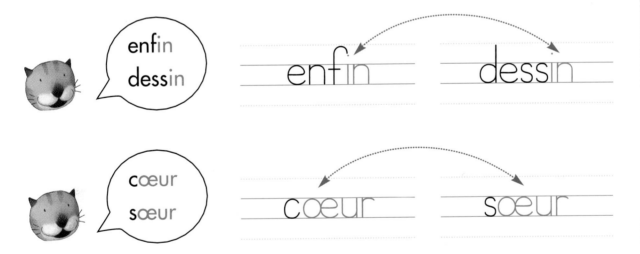

Je sais écrire

Je regarde les mots dans le mini-dictionnaire à la fin de mon manuel. Je trouve des mots qui contiennent le « eur » de « baladeur ». Je les utilise pour écrire une phrase.

67

Une visite au musée

Frédéric Back a réalisé des films d'animation. Ce dessin est tiré du film *L'homme qui plantait des arbres*.

Frédéric Back

Invente une histoire à ce personnage.

68

D'après toi, que contient une fiche biographique ?

Lis le résumé de l'histoire racontée dans le film d'animation *L'homme qui plantait des arbres*.
Lis ensuite la fiche biographique de Frédéric Back.

L'homme qui plantait des arbres

Ce film parle d'un promeneur qui, un jour, découvre un village abandonné. Le village est en ruine. La terre est sèche. Les arbres sont morts. Le promeneur rencontre un vieux berger et il couche chez lui. Le lendemain, il voit le vieux berger semer des graines d'arbres...

Des années plus tard, le promeneur revient visiter le berger. Il découvre alors des arbres bien vivants. Il découvre une terre riche. Il voit un village plein de gens... Il comprend alors le geste du vieux berger : il avait semé la vie...

Nom : Back
Prénom : Frédéric
Date de naissance : 8 avril 1924
Lieu de naissance : Sarrebruck, Allemagne
Profession : illustrateur et réalisateur de films
Passion : la nature, surtout les arbres

Quels renseignements peut-on trouver sur une fiche biographique ?

Prépare ta fiche biographique.

La bande dessinée, c'est un moyen de communiquer. On s'en sert pour raconter des histoires. Ce sont souvent des histoires drôles.

Lis le texte pour en apprendre plus sur la bande dessinée.

La bande dessinée

Une bande dessinée, c'est un peu comme un film. Plutôt que de regarder des dessins défiler rapidement, tu les vois un à la fois. Plutôt que d'entendre les sons, tu les lis !

Les grandes parties d'une bande dessinée (BD) sont : la vignette, le dessin, le personnage et la bulle.

Vignette de bande dessinée

Bulle (ce que le personnage dit ou pense)   Dessin   Personnage

Les vignettes contiennent des bulles de texte. Le texte peut prendre différentes formes. S'il est écrit en plus gros, par exemple, cela peut signifier que le personnage parle fort.

Les vignettes peuvent aussi contenir des petits mots qui imitent des bruits. Clac, ding-dong, pan, snif : tu sais ce que ces mots signifient, n'est-ce pas ?

Tu pourrais bien sûr en inventer plein d'autres. Quel bruit fera une goutte d'eau en tombant par terre ? Ploc ou plouf ?
Ou peut-être ploup ou blop ?
Et si la goutte tombait dans un seau ?

Finalement, les vignettes peuvent contenir des symboles. Ces symboles servent souvent à exprimer des sentiments forts. Souvent, il est plus poli de ne pas dire les mots auxquels ces symboles correspondent !

Nomme des albums de bandes dessinées que tu connais.

Dans la bande dessinée *Lire pour rire* de ton manuel, cherche des petits bruits ou des symboles. Écris-les et donne leur signification.

Lis la réponse à la question posée dans le titre.

Comment fabrique-t-on un journal ?

Avec l'aide de nombreuses personnes !

Les journalistes écrivent les articles et les photographes illustrent l'événement.

Le rédacteur ou la rédactrice en chef choisit les articles qui seront publiés.

Imprimeur

Les maquettistes organisent les textes et les images sur un ordinateur.

Enfin, une machine imprime et plie les pages.

Les moyens de communication.
© Nathan/HER, 2000.

Maquettiste

▼ Consulte un journal local pour découvrir des informations sur ta région.

Photographe

Journaliste

Rédacteur
Rédactrice

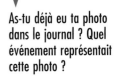

As-tu déjà eu ta photo
dans le journal ? Quel
événement représentait
cette photo ?

La nouvelle vedette

– Salut la vedette ! crie Marilou, en courant
derrière son ballon.

Diego se demande bien pourquoi Marilou
l'appelle comme ça...

– On va parler de toi ! lance M. Dutricot,
un enseignant du deuxième cycle.

Diego s'apprête à lui demander pourquoi.

Mais M. Dutricot est déjà entré dans sa voiture...

La semaine dernière, Diego a bien apporté
son hamster pour le montrer à toute la classe.

Mais jamais il n'aurait imaginé que ça le rendrait
célèbre à ce point...

73

Et voilà qu'en rentrant à la maison le concierge lui fait une courbette :

– On a une célébrité dans l'immeuble !

Devant l'étonnement de Diego, le concierge sort le journal « Le Caribou » de sa poche. Il lit le titre de la première page :

« Grande ouverture d'une piscine intérieure. Les enfants peuvent maintenant se baigner toute l'année ! »

Diego s'approche. Il croit rêver. Mais c'est bien lui sur la photo. Il est avec sa petite sœur. Ils s'amusent à s'éclabousser !

Michel Luppens

Pourquoi Diego est-il la vedette dans cette histoire ?

Que signifie l'expression « faire une courbette » ?

Jeff de la jungle

Justine Madar et Esther Talbot sont deux grandes créatrices de bandes dessinées. Justine est responsable des textes et Esther des dessins. Ensemble, elles créent la saga d'un enfant appelé Jeff de la jungle. Le garçon fabrique des pièges pour sauver sa cousine et son cousin des griffes des animaux sauvages. Il doit parfois affronter des gorilles, des guépards, des alligators ou d'autres animaux de la jungle.

Lorsque leur bande dessinée est terminée, Justine et Esther vont à l'imprimerie. Les planches sont photographiées. Elles sont ensuite imprimées dans la section des bandes dessinées du journal local.

Gilles Tibo

Je comprends ce que je lis

1. a) Qui est la vedette de la bande dessinée ?

    b) Qui en sont les créatrices ? Que fait chacune d'elles ?

2. a) Que signifie le mot « saga » ?

    b) Quelle stratégie as-tu utilisée pour le savoir ?

3. a) Où vont Esther et Justine lorsque la bande dessinée est terminée ?

    b) Où peut-on lire leur bande dessinée ?

    c) Pense aux vedettes de bandes dessinées que tu connais. Y en a-t-il qui apparaissent dans des journaux ? Lesquelles ?

Je reconnais des sons

Astuce	Esther	garçon	alligator
Justine	Talbot	parfois	terminer
Madar	responsable	guépard	journal

Je sais orthographier

animal	journal	page	semaine
animaux	journaux	parfois	tous
dimanche	lundi	photo	tout
film	mardi	pouvoir	toute
jeudi	mercredi	samedi	vendredi

J'en apprends plus sur le genre des noms

▶ J'observe les noms soulignés dans deux phrases du texte :

Ensemble, elles créent la saga d'un enfant appelé Jeff de la <u>jungle</u>.

Le <u>garçon</u> fabrique des pièges pour sauver sa <u>cousine</u> et son <u>cousin</u> des griffes des animaux sauvages.

▶ Je remarque qu'en général :

- le nom a un seul genre : il est masculin (*le garçon*) ou il est féminin (*la jungle*) ;
- on ajoute un *e* au nom masculin pour former un nom féminin (*cousin* → *cousine*).

Je pense à un personnage de bandes dessinées que j'aime bien. J'écris quelques phrases pour le présenter. Je souligne en rouge les noms féminins et en bleu les noms masculins.

Concours de popularité

Marilou veut organiser un concours de popularité parmi les artistes qui animent des émissions de télévision pour les jeunes. Aide-la à faire la collecte des données.

 ## Bande dessinée

Marilou a dessiné une bande dessinée, mais elle manque d'idées pour écrire les dialogues. Écris quelques répliques pour elle.

 ## Effets sonores

Aimerais-tu savoir comment créer et enregistrer des sons en utilisant l'ordinateur ? Avec un microphone branché à l'ordinateur, tu peux y arriver. Plus tard, tu pourrais utiliser ces effets sonores dans tes productions.

78

Des journalistes en herbe

La radio, la télévision, le cinéma et les journaux te fournissent plein d'information. À ton tour de fournir de l'information à quelqu'un. Avec les autres élèves de la classe, crée un journal.

En grand groupe

À qui pourrait s'adresser ce journal : aux autres élèves de l'école, aux parents ? Pensez à un titre. Mettez-vous d'accord.

Quelles rubriques serait-il intéressant de placer dans le journal ? Des rubriques de sciences, de cinéma, de sport ? Quelles sont vos idées?

Quelle forme le journal prendra-t-il ? Sera-t-il fabriqué à l'ordinateur ou avec des crayons ? Quelle sera la dimension du journal ? Combien d'espace sera alloué à chaque rubrique ? Mettez-vous d'accord.

79

Où pourrez-vous vous procurer l'information ? En cherchant dans des livres ou dans Internet, en faisant des entrevues ? Quelles sont vos idées ?

Pensez à la façon de mettre toutes les rubriques ensemble. Qui s'en occupera ? Qui s'occupera de préparer la une du journal ? Prenez des décisions.

En petites équipes

1. Choisissez une rubrique.
2. Décidez de la forme de présentation de votre rubrique. Y aura-t-il des photos, des dessins ?
3. Précisez le rôle de chacun et chacune : qui rédige ? qui cherche l'information?

Passez à l'action. Recueillez l'information. Préparez votre rubrique pour le journal.

En grand groupe, assemblez le journal. Présentez-le !

Individuellement

Évalue ton travail.

J'ai cherché de l'information pour l'équipe.

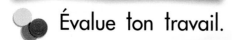

J'ai fait part de mes idées aux autres.

Je suis satisfait ou satisfaite de la présentation de notre rubrique.

80

Préparons Noël

Gabriel Dalpé, 7 ans

À la manière de Michel-Ange

Et si on chantait...

Chante cette belle chanson qui parle de l'hiver.

Tu connais probablement
la chanson *Vive le vent*.
De quoi parle-t-on dans
cette chanson ?

Connais-tu d'autres
chansons qui parlent
de l'hiver ?

Vive le vent

I. Sur le long chemin,
tout blanc de neige blanche,
un vieux monsieur s'avance
avec sa canne dans la main.
Et tout là-haut le vent
qui siffle dans les branches
lui souffle la romance
qu'il chantait petit enfant... Oh !

Refrain :

Vive le vent, vive le vent,
vive le vent d'hiver,
qui s'en va sifflant, soufflant
dans les grands sapins verts... Oh !
Vive le temps, vive le temps,
vive le temps d'hiver,
boule de neige et jour de l'An
et bonne année grand-mère.

82

Joyeux, joyeux Noël
aux mille bougies,
quand chantent vers le ciel
les cloches de la nuit... Oh !
Vive le vent, vive le vent,
vive le vent d'hiver,
qui rappelle aux vieux enfants
leurs souvenirs d'hier.

2. Et le grand monsieur
descend vers le village,
c'est l'heure où tout est sage
et l'ombre danse au coin du feu.
Mais dans chaque maison
il flotte un air de fête ;
partout la table est prête
et l'on entend la même chanson... Oh !

Refrain :
Vive le vent, vive le vent,
vive le vent d'hiver,
qui s'en va sifflant, soufflant
dans les grands sapins verts... Oh !
Vive le temps, vive le temps,
vive le temps d'hiver,
boule de neige et jour de l'An
et bonne année grand-mère. | (bis)

Chanson traditionnelle

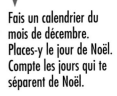

Fais un calendrier du
mois de décembre.
Places-y le jour de Noël.
Compte les jours qui te
séparent de Noël.

Dans le temps des Fêtes, l'arbre de Noël est à l'honneur. Préfères-tu les arbres naturels ou les arbres artificiels? Choisirais-tu un sapin ou une épinette? Donne ton opinion.

Lis le texte pour t'aider à bien choisir ton arbre de Noël.

L'arbre de Noël

La jolie coutume de l'arbre de Noël nous vient de l'Allemagne. On peut utiliser un arbre naturel ou un arbre artificiel. Voici les avantages et les désavantages de chacun.

Arbre naturel	**Arbre artificiel**
Il a une odeur de résine agréable. Il est recyclable, par exemple pour des copeaux de plates-bandes.	Il garde sa couleur et ses aiguilles. Il est économique à la longue. Il ne demande aucun soin.
Il jaunit et perd ses aiguilles. Il coûte plus cher à la longue, car il faut en racheter un chaque année. On doit lui donner de l'eau.	Il a une odeur de plastique. Il est non recyclable et non biodégradable.

Avantages

Désavantages

Voici quelques trucs pour t'aider à distinguer le sapin de l'épinette.

Sapin	Épinette
Les aiguilles sont aplaties. Elles sont disposées comme les dents d'un peigne.	Les aiguilles roulent entre les doigts. Elles sont disposées comme les poils d'une brosse ronde.
Les aiguilles ont le bout arrondi.	Les aiguilles piquent.
Les cônes se dressent vers le ciel.	Les cônes pendent vers le sol.

Le sapin et l'épinette sont des conifères. Ces arbres n'ont pas de feuilles. Ils ont plutôt des aiguilles qui restent vertes toute l'année. Les aiguilles peuvent vivre de deux à cinq ans. Elles se forment à partir des bourgeons.

Dessine un arbre de Noël. Décris-le. Tiens compte de l'information de ce texte.

Lis le texte pour connaître d'où vient la tradition de la bûche de Noël.

D'où vient la bûche?

De nos jours, la bûche de Noël est symbolisée par un gâteau. Autrefois, c'était un très gros tronc d'arbre que l'on brûlait dans la cheminée.

La bûche était choisie dans un bois très dur pour qu'elle brûle longtemps.

La bûche était décorée de feuillages et de rubans, avant d'être transportée.

La bûche posée dans la cheminée était allumée par le plus jeune et le plus âgé.

86

Extraits de l'ouvrage *Imagerie de Noël*, d'après Émilie Beaumont.
© Éditions Fleurus, 1996.

La tradition de la bûche de Noël a inspiré une auteure. Elle en a fait un petit poème.

Qu'est-ce qu'une tradition ?

La bûche de Noël

Sur le gâteau, je vois

Des lutins-bûcherons,

Des haches et des scies,

Des champignons,

Des boules de gui,

Alors ce que je crois

C'est que ce gâteau-là

C'est un morceau de bois.

– Tu te trompes, tralala,

C'est une bûche en chocolat !

Comptines pour le temps de Noël, de Corinne Albaut.
© Éditions Actes Sud Junior.

Fais un dessin de la bûche de Noël du poème.

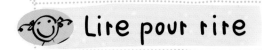

Dans beaucoup de familles, on offre des cadeaux à Noël. C'est une coutume très répandue. D'après toi, qu'est-ce qu'on offrait aux enfants dans le temps de tes grands-parents?

Lis le texte. Il te fera découvrir un cadeau que l'on trouverait bien étrange de recevoir aujourd'hui.

Le cadeau merveilleux

C'est bientôt Noël. Maxime et Stéphanie sont chez leur grand-mère. Ils parlent des cadeaux qu'ils aimeraient recevoir.

— Moi, dit Maxime, je voudrais une bicyclette neuve, un aquarium avec des poissons tropicaux et une baleine en peluche grande comme ça.

— Moi, dit Stéphanie, je voudrais une planche à neige, des patins à roulettes et une nouvelle console de jeux vidéo.

— Et toi, grand-mère? Est-ce que tu recevais des cadeaux autrefois?

— Quand j'avais votre âge, répond-elle, il n'y avait pas autant de cadeaux qu'aujourd'hui.

– Ça devait être un peu triste, remarque Stéphanie.

– Triste ? Non, dit la grand-mère. J'en recevais un seul, mais il était merveilleux, extraordinaire !

Merveilleux, extraordinaire... Maxime et Stéphanie se mettent à rêver, eux aussi. Quel pouvait bien être ce cadeau fabuleux ? Un éléphant en chocolat, une piscine chauffée ?

– Allez, demandent-ils en chœur. Dis-nous. C'était quoi ce cadeau magnifique ?

– Une orange.

– Une orange ?

– Oui, une orange, reprend la grand-mère. Quand on n'a jamais vu le soleil sur la mer, une orange, c'est merveilleux...

Laurent Chabin

Pourquoi la grand-mère était-elle si contente de recevoir une orange en cadeau lorsqu'elle était enfant ?

89

Le sapin magique

Je m'appelle Anna. Je vais vous confier un
secret. Chez moi, j'ai un sapin magique.
Oui, oui, ça se peut.
Le soir, je descends lui parler.
Je lui dis : « À Noël, je veux des tonnes
de jouets merveilleux, mais rien
de trop coûteux. »

L'autre soir, j'étais dans le salon
lorsque soudain le sapin, un pur
chef-d'œuvre de décoration,
a failli tomber.
En jouant, je l'ai accroché.
Il s'en est fallu de peu.
J'ai fermé les yeux.
J'ai fait un vœu et puis hop !
Le sapin est resté bien droit.
La catastrophe a été évitée... d'un cheveu.

Un vrai sapin magique.
Je vous l'avais bien dit.

Robert Soulières

Je comprends ce que je lis

1. a) Quel est le secret d'Anna?
   b) Que dit-elle au sapin?

2. a) Où se trouve le sapin dans la maison?
   b) Que veut-on dire par « la catastrophe a été évitée d'un cheveu »?
   c) De quelle catastrophe est-il question?

3. a) Selon toi, quel vœu Anna a-t-elle fait?
   b) Imagine la liste des cadeaux de Noël d'Anna. N'oublie pas: elle veut des tonnes de jouets merveilleux, mais rien de trop coûteux.

J'associe des lettres à des sons

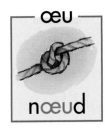

œu

nœud

vœu

Je sais orthographier

air	eau	joyeux	prière
branche	hiver	monter	sage
cadeau	joli	neige	sapin
carte	jolie	Noël	soleil
chanter	joyeuse	peau	vent

Pour retenir l'orthographe d'un mot...

Stratégie 2 : Je fais des liens entre l'oral et l'écrit.

Moyen :

► Je remarque que le mot s'écrit comme il se prononce.

joli

joli

Je sais écrire

Je regarde les mots de la rubrique «Je sais orthographier». J'en utilise quelques-uns pour créer un petit poème ou une petite lettre pour Noël. Je l'envoie à quelqu'un que j'aime bien.

Lis l'histoire d'une petite souris
qui se préparait à fêter Noël.

▼
Que fais-tu pour
te préparer à fêter Noël ?

Petit Noël

La veille de Noël, quand le papa de Léa prépare l'arbre de Noël, il s'aperçoit qu'il manque une branche sur le sapin. C'est la souris qui l'a prise, pour faire un arbre de Noël à ses petits.

La nuit de Noël, quand le père Noël sort de la cheminée, il s'aperçoit qu'il manque une poche à son manteau rouge. C'est la souris qui l'a prise pour faire un père Noël à ses petits.

Le matin de Noël, quand Léa ouvre son cadeau, elle s'aperçoit qu'il manque un soulier à sa poupée en habit de princesse. C'est la souris qui l'a pris, pour faire un cadeau de Noël à ses petits.

Le lendemain de Noël, quand la souris réveille ses petits, pour fêter le Noël des souris, elle s'aperçoit qu'il manque une aiguille à la branche de sapin, un fil rouge à la poche du manteau, un ruban au soulier de la poupée en habit de princesse. C'est la fourmi qui les a pris, pour faire un Noël à ses petits.

Philippe Dorin, *Le Jour de la fabrication des yeux*. CCL Éditions.

▼ Qui a joué un tour à la petite souris ?

▼ D'après toi, qu'a fait la souris pour fêter Noël avec ses petits ?

▼ La souris voudrait écrire à Léa. Elle aimerait s'excuser d'avoir pris le soulier de sa poupée. Écris une petite lettre pour elle.

L'auteur Laurent Chabin

Quand j'étais petit, je passais presque tout mon temps à lire. Je préférais parfois le monde des livres à la réalité. Aujourd'hui, je n'ai pas beaucoup changé...

M. Chabin a écrit une histoire pour tous les enfants du monde. Elle s'intitule **Le Noël du bout du monde**. C'est Josée Masse qui l'a illustrée. C'est une illustratrice qui prend plaisir à jouer avec les couleurs. Elle a beaucoup aimé l'histoire, qui démontre que l'imaginaire est aussi important que n'importe quel jouet.

Les personnages

Stéphanie   Maxime   Antoine   Filippo

Il était une fois sur terre
Pas loin d'ici
Un enfant qui n'avait pas droit
Aux choses simples
Que toi tu possèdes
Tout naturellement
Pense à lui.

Henri Dès

Le Noël du bout du monde

La classe de Maxime et de Stéphanie a un correspondant. Il s'appelle Béchir et habite au Soudan, un pays d'Afrique orientale.

Chaque mois, les élèves lui envoient une lettre dans laquelle ils lui parlent du Canada. Béchir répond et leur parle de son pays.

À l'approche de Noël, Maxime et Stéphanie font une proposition : pourquoi ne pas envoyer un cadeau à Béchir ?

— Excellente idée ! dit Filippo, leur enseignant. Que voulez-vous lui envoyer ?

— Une planche à neige ! s'écrie Maxime.

— Des disques de chansons d'ici ! ajoute Stéphanie.

— Des jeux vidéo ! fait un troisième.

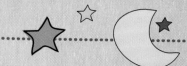

Filippo sourit. Quel enthousiasme! Et les élèves, tout excités, continuent de plus belle:
— Des patins à glace! Un pistolet à eau! Un vélo de montagne!...

Au bout d'un moment, les enfants se calment et Filippo explique:
— Vous avez tous d'excellentes idées mais, malheureusement, je ne crois pas que ces choses feraient vraiment plaisir à Béchir.
— Mais pourquoi? demande Maxime. Ça nous ferait très plaisir, à nous.
— À vous, bien sûr, répond Filippo. Mais vous, vous n'êtes pas Béchir. Que ferait-il d'une planche à neige ou de patins à glace dans un pays où il fait toujours chaud? Que ferait-il de disques ou de jeux vidéo alors qu'il n'a pas les appareils pour les utiliser, alors qu'il n'a peut-être même pas l'électricité? Que ferait-il d'un pistolet à eau dans un pays où règne encore trop souvent la guerre?

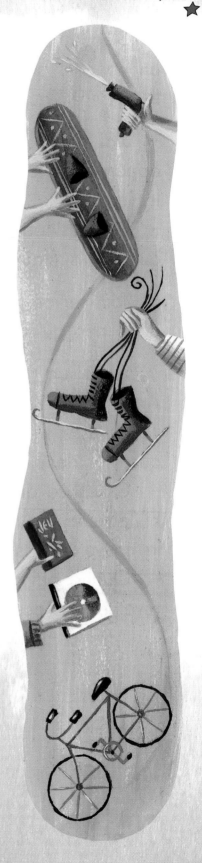

Les élèves se taisent. Ils n'avaient pas pensé à ça. Ce n'est pas facile. Qu'aimeraient-ils recevoir, eux, s'ils vivaient dans un pays en guerre où l'on n'est même pas sûr de manger tous les jours?

Stéphanie pense à sa grand-mère. Mais, tout de même, on ne peut pas lui envoyer une orange, à Béchir! Il penserait qu'on se moque de lui!

– J'ai une idée! s'exclame soudain Maxime. Offrons-lui un appareil photo. Il prendra des photos de son pays et nous les enverra.

– Ce n'est pas simple, dit Filippo. Quand les gens font la guerre, ils n'aiment pas qu'on les prenne en photo.

Tout le monde est perplexe. Que faire alors? Il n'y a donc rien qu'on puisse donner à Béchir?

Alors, un petit garçon qui s'appelle Antoine lève le doigt et dit:

– Moi, je veux bien lui donner ce que j'ai de plus précieux.

– Qu'est-ce que c'est? s'écrient les autres.

Et lentement, Antoine sort de sa poche un petit livre. Sur la couverture est écrit «Le Petit Prince».

– Quand on n'a rien, dit Antoine, il reste quand même le rêve. Et ça, personne ne pourra le lui enlever.

Laurent Chabin

Le spectacle de Noël

Clothilde, Christopher et Katharina font partie d'une troupe de théâtre qui compte vingt-quatre personnes. On prépare un spectacle pour Noël. Clothilde est choriste, Christopher est danseur et Katharina s'occupe de l'éclairage.

Le soir de la première représentation, il neige et il fait froid. Le thermomètre indique quinze degrés sous zéro. Clothilde, Christopher et Katharina se rendent à la salle de spectacle en grelottant. Toute la troupe est présente. La salle est bondée de spectateurs malgré le mauvais temps.

Finalement, le rideau se lève. Le spectacle commence. Tout se déroule bien. À la fin, les membres de la troupe se réunissent sur la scène. Ils chantent en chœur la chanson thème du spectacle.

Quel succès !

Gilles Tibo

Je comprends ce que je lis

1. a) Combien de personnes compte la troupe de théâtre?

   b) Que fait Christopher dans la troupe?

2. a) Quel temps fait-il lors de la première représentation?

   b) Quelle température indique le thermomètre?

3. a) Que se passe-t-il à la fin du spectacle?

   b) Regarde la photo de la page 99. Selon toi, quelle pourrait être la chanson thème du spectacle? Écris ton idée.
   Discutes-en avec quelqu'un d'autre.

J'associe des lettres à des sons

ch	th
chorale	thermomètre

Christopher   Clothilde

choriste   thème

chœur   théâtre

Je sais orthographier

donner	pauvre	princesse	reine
étoile	pays	que	roi
lire	prince	qui	vélo

J'en apprends plus sur le pluriel des noms

▶ J'observe les mots soulignés dans trois phrases du texte :

La troupe compte vingt-quatre <u>personnes</u>.

Le thermomètre indique quinze <u>degrés</u> sous zéro.

À la fin, les <u>membres</u> de la troupe se réunissent sur la scène.

▶ Je remarque qu'en général :

• on ajoute un « s » au nom singulier pour former un nom pluriel :

une personne ⟶ vingt-quatre personne<u>s</u>

un degré ⟶ quinze degré<u>s</u>

le membre ⟶ les membre<u>s</u>

Pendant la période des Fêtes, de nombreuses activités spéciales sont organisées en famille. Je décris une activité que je fais chez moi. Je souligne les noms et les déterminants pluriels.

Les cadeaux cachés

Marilou a organisé une chasse
aux cadeaux dans sa maison à
l'occasion des Fêtes.
Va vite la voir
pour pouvoir
y participer.

Noël dans le monde

Comme Marilou, essaie de trouver des sites qui
parlent de la fête de Noël.

 Le sens de la fête

Tout en plaçant des cadeaux sous son arbre,
Marilou se demande bien comment cette histoire
de Noël a commencé. Elle aimerait bien savoir
ce qui s'est passé. Pour l'aider à comprendre,
relate les étapes de cette histoire.

Un arbre bien décoré

Pour de nombreux enfants, Noël est une fête bien spéciale. L'arbre de Noël est souvent le roi de la fête. En guise de projet, tu dois fabriquer des décorations pour un arbre de Noël.

Marilou et son équipe ont choisi de fabriquer des étoiles lutins. Voici ce qu'ils ont trouvé.

Matériel
■ du carton
■ 1 crayon
■ des crayons feutres ou de la gouache
■ des ciseaux
■ du fil de fer fin

Étoiles lutins

Marche à suivre

1 Dessine la forme d'une étoile sur le carton et découpe-la.

2 Dessine la tête, le chapeau et les vêtements sur les deux côtés.

3 Ajoute de la couleur et des ornements.

4 Fais un S avec le fil de fer (2 cm). Place-le à 1 cm du sommet de l'étoile.

103

En grand groupe

Discutez des décorations possibles d'arbre de
Noël. Des anges, des boules, des guirlandes...
Quel matériel peut-on utiliser? Du papier
recyclé, du papier d'aluminium, de la ficelle...
Où placera-t-on les décorations?

Choisissez les décorations que vous fabriquerez.
Cherchez des idées dans les livres, les revues, Internet
au besoin. Regroupez-vous selon le type de décoration choisi.

En petites équipes

1. Distribuez les tâches. Qui sera responsable du matériel ?
   Qui planifiera les étapes?
2. Passez à l'action. Fabriquez vos décorations.
3. Présentez et expliquez votre démarche.

Admirez le magnifique travail de tous les autres élèves!
Installez vos décorations dans l'arbre.

Individuellement

Évalue ton travail.

J'ai bien compris la tâche
avant de commencer.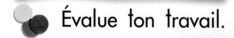

J'ai fait mon travail jusqu'au bout.

Je suis fier ou fière
de mes réalisations.

Viens jouer !

Émile Bilodeau, 7 ans

À la manière de Pauline Paquin

Nomme des jeux que tu aimes beaucoup.

Lis le texte de la chanson. Tu y découvriras des suggestions de jeux pour les jours où tu ne sais pas quoi faire.

À quoi donc jouer?

1. Je ne sais pas quoi faire!
Va donc jouer aux billes,
va donc jouer aux quilles
avec ton petit frère.

2. Je trouve le temps long!
Joue aux marionnettes,
joue aux devinettes,
va jouer au ballon.

3. Ah! que je m'embête!
Joue aux dominos
ou bien aux petites autos.
Va faire un casse-tête.

4. Il fait froid dehors...
Va faire du patin
avec ton cousin.
Va donc faire du sport.

5. Ah ! que je m'ennuie !
Il y a l'ordinateur,
tes craies de couleur,
il y a tes amis.

6. Qu'est-ce que tu proposes ?
Occupe-toi de toi.
Fais n'importe quoi,
mais fais quelque chose ! (bis)

Henriette Major

Dresse la liste de toutes
les suggestions de jeux
ou d'activités que
contient la chanson.

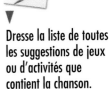

Dans cette liste, quel
jeu ou quelle activité
préfères-tu ?

107

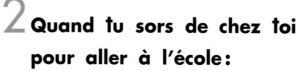

Sur une feuille, réponds aux questions en notant les symboles ▲, ■ ou ●.

Jeux d'action ou jeux plus calmes?

1 Te sens-tu généralement?
- ■ plutôt en forme
- ▲ plein ou pleine d'énergie
- ● parfois sans entrain

2 Quand tu sors de chez toi pour aller à l'école:
- ▲ tu cours
- ■ tu marches
- ● tu espères qu'on va te conduire en voiture

3 Pendant tes moments de loisir, tu t'occupes souvent:
- ● en lisant
- ▲ en jouant dehors
- ■ en jouant à l'intérieur

4 En été, à la plage, tu adores:
- ■ chercher des coquillages, des petits poissons
- ▲ nager, jouer au ballon, faire du canot
- ● t'allonger au soleil et lire

5 En hiver, dehors, tu préfères:
- ▲ faire du ski, glisser, patiner
- ● marcher au grand air
- ■ construire des igloos, des châteaux

6 **Ta sortie préférée, c'est d'aller :**

● à la salle de quilles ou au mini-golf

▲ à la piscine ou à la patinoire

■ au cinéma ou à la bibliothèque

7 **Pratiquer un sport, c'est bien parce que :**

■ on s'amuse, même si parfois
c'est un peu difficile

● c'est bon pour la santé

▲ c'est toujours formidable

Compte les ▲, ■ ou ● que tu as obtenus.

Si tu as plus de ▲, tu aimes bouger, faire
des jeux où il y a de l'action.

Si tu as plus de ■, tu aimes les jeux où ça bouge,
mais tu aimes aussi les jeux plus calmes.

Si tu as plus de ●, tu préfères les jeux
calmes qui n'exigent pas trop d'effort physique.

Adapté de *Motordu champignon olympique*, Pef, coll. Folio Cadet, © Éditions Gallimard Jeunesse.

En hiver, dehors, c'est agréable de jouer dans la neige. On peut faire des constructions si la neige est bien collante. Marilou adore jouer dans la neige. Observe l'illustration et vois ce qu'elle fait aujourd'hui.

Lis le texte pour découvrir ce que fait Ali.

Viens jouer !

Je suis couché dans la neige qui scintille. Je n'ai même pas froid ! Marilou dit que c'est parce que je suis bien habillé. Elle a raison. Je me trouve au chaud dans le nouvel habit de neige qu'on m'a offert à Noël. La couleur est si vive sous le soleil...

Astuce court et, avec ses pattes de derrière, il m'envoie de la neige partout. Une vraie souffleuse ! Les flocons blancs sur le tissu bleu de mon habit de neige, c'est tellement beau...

– Ali, tu es dans la lune?
me demande Marilou.

– Je suis dans la neige! je lui
réponds.

– On est dans la neige aussi, mais
on bouge! fait-elle remarquer.
Tu as vu tous les blocs qu'on a
empilés?

– Viens donc jouer, Ali! crient les
autres en s'amusant.

C'est vrai que notre igloo commence
à prendre forme. Je devrais faire
ma part. Ils ont beaucoup avancé
pendant que je contemplais mon
vêtement neuf... J'y vais!

Je suis content de participer à notre
construction. Je plonge mes mitaines
dans la neige et qu'est-ce que je
découvre? Astuce! Au lieu de se
construire un igloo, il a voulu se creuser
un tunnel! Il commençait à être enseveli
et maintenant, l'air craintif et surpris,
il secoue son pelage et m'éclabousse!
Que c'est beau le blanc sur le tissu bleu...

Sylvie Massicotte

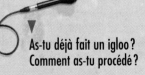

As-tu déjà fait un igloo?
Comment as-tu procédé?

Savais-tu que les Inuits et
Inuites, lorsqu'ils vont à
la chasse, se construisent
un mini-igloo, l'*illuvigait*?
Cet igloo leur sert d'abri
pour la nuit.

‖ ‖ ‖

▼
Voici un jeu
d'intérieur ou
d'extérieur. Beau temps,
mauvais temps, on peut
toujours s'amuser avec
l'aki.

Lis pour savoir comment fabriquer un aki.
Lis ensuite pour découvrir les règles du jeu.

L'aki

Fabrication d'un aki Astuce

Matériel

- I bas
- I cuillère
- des lentilles
- de la feutrine
- 2 crayons feutres (noir et brun)
- des ciseaux
- de la colle forte

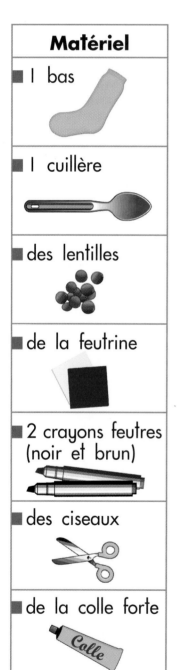

1 Sers-toi d'une cuillère pour mettre des lentilles dans un bas. Ferme le bas avec un nœud solide. Coupe la partie du bas dont tu n'as pas besoin.

2 Sur la feutrine, trace le nez, les yeux, les oreilles et la bouche d'Astuce. Découpe-les.

3 Colle les formes sur le bas. Décore le reste en dessinant la bouche, les moustaches et les rayures d'Astuce.

Amuse-toi bien avec ton aki Astuce!

Règles du jeu

Le jeu consiste à maintenir l'aki dans les airs le plus longtemps possible sans se servir de ses mains. On peut jouer à ce jeu seul, à deux ou en équipe.

Avec les genoux
Fais rebondir l'aki d'un coup de genou. Maintiens bien ton équilibre.

Avec la tête
Quand l'aki retombe, relance-le d'un bon coup de tête.

Avec les pieds
Garde l'aki en l'air avec la pointe ou le côté de ton pied.

Savais-tu que l'aki est un jeu qui vient de l'Asie? On y joue pour développer ses réflexes.

À quel sport l'aki te fait-il penser? Pourquoi?

113

Le yoyo, ça paraît facile à jouer. Pourtant...

Lis ce petit poème qui raconte une histoire vécue par plusieurs.

Le yoyo

Mon yoyo
monte et descend
de bas en haut
en s'enroulant.
Aïe aïe aïe,
quelle pagaille !
J'ai fait des nœuds dans la ficelle.
Tout s'entortille, tout s'emmêle.
Mon yoyo ne tourne plus,
j'ai perdu !

Comptines pour mes jouets préférés, de Corinne Albaut.
© Éditions Actes Sud Junior, 1996.

Des personnes très expérimentées font parfois des trucs formidables avec leur yoyo. Par exemple, elles le font dormir. Peux-tu nommer d'autres trucs ?

Lire pour rire

Yago et les pièces d'or

C'est samedi. Je joue à l'intérieur avec ma sœur Mireille. Moi, j'aime mieux jouer dehors. Mais tant pis! C'est elle qui a décidé.

On joue à un nouveau jeu électronique.
Mireille est toujours gentille.
Avec elle, il n'y a jamais de dispute.
Chacun son tour avec l'appareil.
C'est un drôle de jeu.
Un gorille nommé Yago
doit remplir une corbeille
de pièces d'or. Il doit
apporter tout ça
à Marseille, c'est une ville
de France. Mais tout
ce qui scintille n'est pas or.
Mireille, qui connaît le jeu,
me conseille. Je fais du mieux
que je peux... Oups! Yago vient de tomber.
C'est au tour de Mireille.

Robert Soulières

Je comprends ce que je lis

1. a) Quel jour de la semaine est-ce?
   b) Que font les enfants dans l'histoire?

2. a) Qui est la vedette du jeu vidéo?
   b) Nomme les deux choses qu'il doit faire.
   c) Dans quel pays est située
      la ville de Marseille?

3. a) Crée et dessine un petit parcours
      que pourrait emprunter Yago.
   b) Explique par écrit un des obstacles
      de ton parcours.

J'associe des lettres à des sons

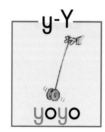

y-Y

yoyo

Yago

noyau

crayon

eil

abeille

Mireille

appareil

corbeille

Je sais orthographier

à côté	basse	froide	jouer
amuser	côté	haut	oiseau
autre	coup	haute	roue
ballon	fenêtre	jeu	sac
bas	froid	joie	train

Pour retenir l'orthographe d'un mot...

Stratégie 3 : Je justifie une lettre muette
(sauf le « e » final) dans un mot.

Moyens :

▶ Je dis le mot au féminin pour trouver la dernière
lettre du mot au masculin.

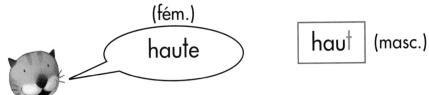

(fém.)

haute   haut (masc.)

▶ Je pense à des mots de la même famille pour trouver
la dernière lettre du mot.

couper   coup

Je sais écrire

Je regarde les mots dans le mini-dictionnaire à la fin
de mon manuel. Je trouve les mots qui ont un « t » muet
à la fin. J'essaie de trouver des mots de même famille.

117

🎨 Une visite au musée

▼

Voici une œuvre de la peintre Pauline Paquin.

Observe bien les deux joueurs de hockey.

Qu'est-ce qui se situe au premier plan?

Qu'est-ce qui se situe à l'arrière-plan?

Le 44, Pauline Paquin

▼

Quelles couleurs sont associées à l'hiver dans ce tableau?

▼

Les numéros des joueurs de hockey dans ce tableau sont le 44 et le 31. Connais-tu le numéro de joueurs de hockey professionnel? Associe quelques numéros avec certains joueurs.

Au Canada, bien des
enfants aiment le
hockey. C'est une bonne
façon de jouer dehors en
hiver. Toi, que penses-tu
du hockey ?

Le hockey

Lorsque l'hiver s'en vient, il y a toujours des gens qui
ne pensent qu'à fuir vers les pays chauds... Comme si
l'hiver était une terrible maladie qui envahissait notre
pays ! L'hiver, ce n'est pas une épouvantable
épidémie, un dragon ou une bibitte à poils... L'hiver,
c'est tout simplement la plus belle des saisons !!!
C'est vrai... Moi, je suis incapable de vivre sans
bancs de neige, sans tempêtes et poudrerie, sans
glissades et châteaux dans la neige. Mais surtout
j'aime l'hiver parce que j'adore le hockey sur glace !

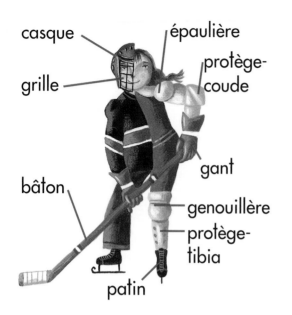

casque
grille
bâton
épaulière
protège-coude
gant
genouillère
protège-tibia
patin

Bien quoi, ce n'est pas parce que je suis une fille et que je m'appelle Clémentine que je n'ai pas le droit de jouer au hockey ! Alors, au premier flocon de neige que j'observe tourbillonner gracieusement dans le ciel, je cours préparer mon équipement.

Ah ! Une partie de hockey dans le vent, le froid et la neige, c'est génial ! Et si nous avons le nez tout rouge les copains et moi, ce n'est certainement pas parce que nous nous tapons ou tordons le bout du nez !

Si, comme pensent certaines personnes, l'hiver est une terrible maladie, eh bien moi, je veux l'attraper tous les jours !!!

Michel Aubin

Il y a plus de garçons que de filles qui jouent au hockey. Pourquoi est-ce ainsi ?

Discutez-en en petits groupes. Faites part de vos idées au reste de la classe.

Marilou a reçu une invitation.
Lis-la pour savoir de quoi il s'agit.

L'anniversaire de Marina

Chez les Inuits et Inuites, la saison des fêtes commence dès la fin de novembre et se termine au début de l'été. Les jeux, le chant et la musique sont donc longtemps à l'honneur. C'est ce qui a donné une idée à Marina et à ses parents.

Tu es invitée à une
GRANDE FÊTE INUITE
pour l'anniversaire de Marina

Où :   au 138, boul. Ruel
            (au coin de la rue Salvail)
Quand :   le 2 février
            de 13 h à 16 h 30

Note : Habille-toi chaudement,
        ça se passe dehors.

parc du Nord

boul. Ruel

M

boul. Laroche

école

rue Bouchard

L

rue Lavoie

rue Salvail

121

Voici quelques jeux au programme de la fête :

Le saut à un pied

La joueuse ou le joueur s'élance dans les airs pour toucher une balle avec un pied. Elle ou il doit retomber au sol sur le pied qui a touché la cible.

Chez les Inuits et Inuites, la balle était faite de peau de morse. Elle était remplie de poils de caribou.

Le tir à la corde

Chaque équipe tient l'extrémité d'une longue corde et tire de toutes ses forces au signal. L'équipe gagnante est celle qui force l'autre équipe à dépasser le point convenu.

Chez les Inuits et Inuites, une équipe représentait l'hiver, l'autre équipe l'été. Si l'été gagnait, le prochain hiver serait doux.

Le jeu du parachute

Les joueurs et joueuses tiennent une des poignées du parachute. Il faut faire bouger ou sauter le ballon sans le faire tomber du parachute.

Chez les Inuits et Inuites, on jouait avec des peaux de morse. Les règles du jeu étaient différentes. On se servait plutôt du parachute comme un trampoline.

▼
Repère la maison de Marina sur le plan. Lovely aussi est invitée à la fête. Repère sa maison (L). Malheureusement, elle a perdu le plan. Écris-lui le trajet sur une feuille de papier.

▼
Plusieurs jeux inuits étaient surtout populaires dans cette communauté il y a plusieurs années. Les parents inuits encourageaient leurs enfants à jouer à des jeux pouvant développer force et agilité. Ces qualités seraient nécessaires plus tard pour survivre.

Parmi les jeux présentés, lequel demande le plus d'agilité? Explique pourquoi sur une feuille.

122

Le bonhomme de neige

Je joue dehors avec mon amie.

Nous fabriquons un bonhomme de neige.

C'est tout un travail !

Ouf ! Les boules de neige sont assemblées.

Nous enfilons un vieux chandail au bonhomme.

Nous lui attachons une ceinture à la taille.

Nous lui accrochons une vieille médaille.

Ensuite, nous le coiffons d'un chapeau de paille.

Il ressemble à un épouvantail !

Je suis épuisé. Je rentre chez moi.

Je me lave, je me couche et je m'endors.

Je rêve que le bonhomme se sauve. Il laisse

tomber le chandail, la ceinture, la médaille et le

chapeau de paille. Quelle canaille !

Gilles Tibo

Je comprends ce que je lis

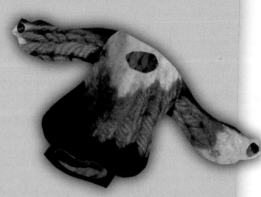

1. a) Que font les enfants dans cette histoire?

   b) Combien sont-ils?

   c) À quoi rêve le garçon qui raconte l'histoire?

2. a) À quoi ressemble le bonhomme de neige?

   b) Nomme les vêtements du bonhomme de neige.

3. Dessine le bonhomme de neige que les enfants ont fabriqué.

J'associe des lettres à des sons

ail

chandail

travail

médaille

paille

Je sais orthographier

ciseaux	guitare	jeune	plaisir
femme	hockey	paire	vieille
finir	homme	personne	vieux

J'en apprends plus sur la virgule

► J'observe deux phrases du texte :

Je me lave, je me couche et je m'endors.

Il laisse tomber le chandail, la ceinture,

la médaille et le chapeau de paille.

► Je remarque que :

- la virgule sépare les mots ou les groupes de mots d'une énumération :
  - *je me lave, je me couche*
  - *le chandail, la ceinture, la médaille*

J'imagine un bonhomme de neige farfelu. Sur une feuille, je le décris. J'énumère les vêtements qu'il porte. J'écris aussi le nom des objets utilisés pour le fabriquer. Puis, je le dessine.

 La fin de semaine...

Que fais-tu dans tes moments de loisir, la fin de semaine? Regroupe certaines activités par catégories.

Marilou n'arrive pas à décider

Marilou se demande bien ce qu'elle va faire aujourd'hui. Veux-tu lui aider à organiser une journée qui va lui plaire?

 **Moi, je préfère...**

Organise un diaporama qui va permettre d'illustrer ce que tu préfères dans les domaines suivants: le sport, les jeux et autres.

Tu grandis

As-tu grandi? Ton corps a-t-il subi des transformations depuis la dernière fois où tu as pris tes mesures?

Une journée de carnaval

Un carnaval, c'est l'occasion de s'amuser et de participer à de nombreux jeux. Avec ta classe, tu devras organiser une journée de carnaval. Ton équipe et toi devrez concevoir une des activités.

En grand groupe

Avec votre enseignant ou enseignante, préparez un tableau des responsabilités.

Dressez la liste des responsabilités :
– Préparer quelques jeux pour l'intérieur.
– Organiser quelques jeux pour l'extérieur.
– Composer une chanson thème ou une danse.
– Créer une affiche.
À quoi d'autre faut-il penser ?

Déterminez la durée des activités, l'horaire de la journée et les responsabilités de chaque équipe.

Carnaval - Tableau des responsabilités, durée et horaire			
Nom des élèves de l'équipe	**Responsabilités**	**Durée de l'activité**	**Heure du début de l'activité**
	Un grand jeu extérieur	30 minutes	8 h 30
	Un autre grand jeu extérieur	30 minutes	9 h

127

En petites équipes

1. Mettez-vous d'accord sur l'activité dont vous êtes responsables. Au besoin, consultez des livres, des revues ou Internet pour avoir des idées.

2. Partagez les tâches. Par exemple, qui consultera les personnes-ressources (parents, spécialistes de l'école, autres élèves)? Qui trouvera le matériel nécessaire?

3. Mettez-vous au travail!

N'oubliez pas! Avant chacune des activités de la journée, chaque équipe explique son activité à la classe.

Passez une belle journée de carnaval!

En grand groupe, faites un bilan de la journée. Expliquez les réussites, les difficultés et les défis à relever une prochaine fois.

Individuellement

 Évalue ton travail.

Je participe aux décisions de mon équipe.

J'accepte de faire des compromis.

J'apprécie le travail des autres élèves de mon équipe.

Les cartes d'Astuce

a - A

sac
module 1

e - E

cheval
module 1

i - I

livre
module 1

y - Y

bicyclette
module 3

u - U

pupitre
module 1

o - O

moto
module 1

au

autobus
module 4

eau

chapeau
module 4

ou
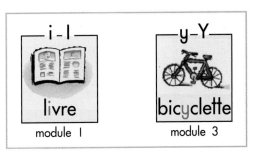
hibou
module 1

é - É

étoile
module 1

è - È
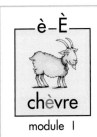
chèvre
module 1

ê - Ê

forêt
module 1

ai
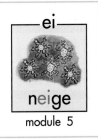
maison
module 5

ei

neige
module 5

er
panier
module 7

et

cornet
module 7

on

melon
module 2

in

sapin
module 4

ain
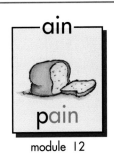
pain
module 12

ein

ceinture
module 12

an

pantalon
module 3

en
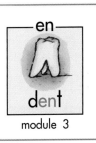
dent
module 3

oi

oiseau
module 5

un

un
module 6

en

chien
module 12

129

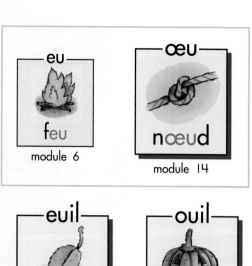

eu — feu — module 6

œu — nœud — module 14

ui — nuit — module 7

oin — foin — module 12

ill — chenille — module 12

euil — feuille — module 12

ouil — citrouille — module 12

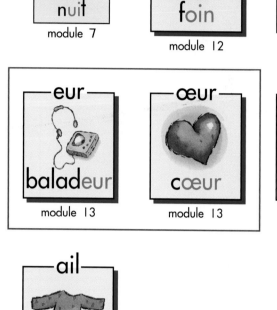

eur — baladeur — module 13

œur — cœur — module 13

er — ver — module 13

y-Y — yoyo — module 15

eil — abeille — module 15

ail — chandail — module 15

m-M — maman — module 1

p-P — papa — module 1

n-N — nez — module 2

l-L — légumes — module 2

t-T — tomate — module 2

f-F — famille — module 2

ph — phoque — module 8

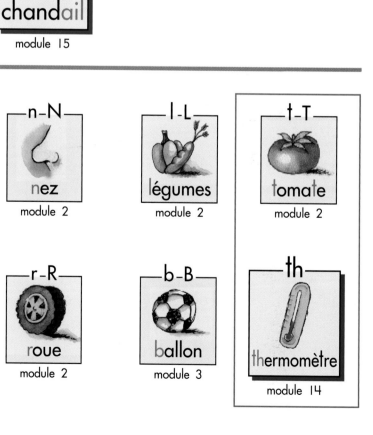

r-R — roue — module 2

b-B — ballon — module 3

th — thermomètre — module 14

130

s-S	c-C	ç-C	h-H	g-G
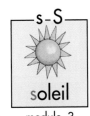				
soleil	ciseaux	garçon	hiver	gant
module 3	module 3	module 3	module 4	module 5

c-C	qu	k-K	ch	gu

cadeau	quatre	koala	chorale	guitare
module 4	module 4	module 8	module 14	module 5

g-G	j-J	z-Z	s	ch

géant	jambon	zèbre	musique	chat
module 5	module 5	module 6	module 6	module 6

v-V	w-W	x-X

violon	wagon	xylophone
module 6	module 8	module 7

d-D	gn

dé	montagne
module 8	module 8

Le mini-dictionnaire d'Astuce

Noms communs

A
air
ami
amie
animal
animaux
arbre
auto
autobus
automne
avion

B
baladeur
balle
ballon
banane
bateau
bébé
bicyclette
boîte
bonbon
bonjour
bouche
branche
bras

C
cadeau
café
campagne
canard
carotte
carte
castor
chambre
chapeau
chat
chatte
chemin
cheval
chevaux
chèvre
chien
chienne
chocolat
chose
ciel
cinéma
cirque
ciseaux
citrouille

classe
clown
cœur
corde
corps
côté
cou
coup
cour
crayon
cri

D
dame
dé
dent
dessin
dimanche

E
eau
école
élève
enfant

été
étoile

F
famille
femme
fenêtre
fête
feu
feuille
fille
film
fleur
forêt
frère
fruit
fusée

G
garçon
glace
goutte
grand-mère
grand-père
guitare

H
hibou

hiver
hockey
homme

I
image

J
jambe
jambon
jardin
jeu
jeudi
joie
jour
journal
journaux
journée
jus

L
lac
lait
lapin
lapine
leçon
légume
lit

Noms communs (suite)

livre
lumière
lundi
lune

M

magie
main
maison
maman
marché
mardi
matin
matou
melon
mer
merci
mercredi
mère
midi
monde
montagne
mot
musique

N

nature
neige

nez
nom
nuage
nuit

O

œuf
œufs
oiseau
ombre
oreille

P

page
pain
paire
pantalon
papa
papier
patate
pays
peau
pêche
père
personne
photo
pied
plaisir
planète

pluie
poisson
pomme
porte
poule
poupée
prière
prince
princesse
printemps
pupitre

R

radio
reine
rêve
robe
roi
roue
rue

S

sac
salade
samedi
sapin
semaine
sœur
soir

soirée
soleil
sorcière
souris

T

table
tableau
télévision
terre
tête
timbre
tomate
tortue
train
tulipe

V

vélo
vendredi
vent
vie
ville
violon
visage
voisin
voisine

Y

yeux

Z

zéro

Déterminants

A	**L**	notre	six	**U**
au	l'	**O**	son	un
C	la	onze	**T**	une
cinq	le	**Q**	ta	**V**
D	les	quatorze	tes	vos
des	**M**	quatre	ton	votre
deux	ma	quinze	tous	
dix	mes	**S**	tout	
douze	mon	sa	toute	
du	**N**	seize	treize	
H	neuf	sept	trois	
huit	nos	ses		

Noms propres

Ali	Astuce	Marilou	Noël

Pronoms

elle	je	nous	te	tu
il	me	on	toi	vous
j'	moi	qui		

Adjectifs

A	**B**			
autre	bas	basse	belle	blanche
		beau	blanc	bleu

Adjectifs (suite)

bleue
bon
bonne
brun
brune

C
chaud
chaude
cher
chère
content
contente

D
dernier
dernière

deuxième
(2e)

F
folle
fort
forte
fou
froid
froide

G
grand
grande
gris
grise
gros

grosse

H
haut
haute
heureuse
heureux

J
jaune
jeune
joli
jolie
joyeuse
joyeux

L
long

longue

M
malade

N
noir
noire

O
orange

P
pauvre
petit
petite
premier
(1er)

première
(1re)

R
rose
rouge

S
sage

V
vert
verte
vieille
vieux

Verbes

A
acheter
aimer
aller
amuser
appeler
arriver

attendre
avoir

C
chanter
chercher
coucher
courir

crier

D
découper
dessiner
dire
donner
dormir

E
écouter
être

F
faire
finir

J
jouer

L
lancer
lever
lire

Verbes (suite)

M
manger
monter

O
ouvrir

P
parler
pouvoir

R
regarder

rêver

S
sauter

savoir

T
tomber

V
vouloir

Mots invariables

A
à
à côté
après
aujourd'hui
aussi
autour
avant
avec

B
beaucoup
bien

C
chez
comme

D
dans

de
demain
derrière
devant

E
en
encore
enfin
ensuite
et

H
hier

I
il y a

J
jamais

L
loin

M
mais
moins

N
ne
ne... pas
non

O
ou
oui

P
par
parce que
parfois
pas
plus
pour

pourquoi
puis

Q
quand
que

S
si

sous
souvent
sur

T
toujours
très

Astuce et l'orthographe

Il existe différentes stratégies pour retenir l'orthographe des mots. Astuce t'en propose quelques-unes.

Stratégie 1

J'observe le mot.

Moyens :

► Je remarque les particularités du mot. leçon

► J'épelle le mot
que j'ai sous les yeux.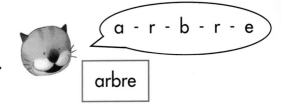

► Je regarde le mot.
Puis, je ferme les yeux.
J'essaie de voir
le mot dans ma tête.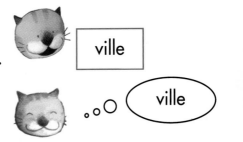

► J'écris le mot que
j'ai sous les yeux.

classe

Je fais des liens entre l'oral et l'écrit.

Moyens :

▶ Je compare la manière de dire le mot
à la manière de l'écrire.

tomate   tomate

▶ Je découpe le mot en syllabes.

lé/gume   lé/gu/me

▶ Je regroupe les mots qui contiennent un même son
qui s'écrit de la même façon.

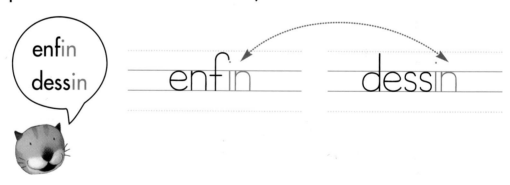

enfin   dessin

▶ Je remarque que le mot s'écrit comme il se prononce.

joli   joli

Je justifie une lettre muette
(sauf le « e » final) dans un mot.

Moyens :

► Je dis le mot au féminin pour trouver la dernière
lettre du mot au masculin.

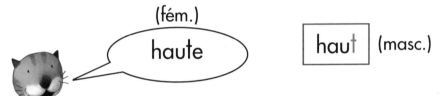

(fém.)

haute

haut (masc.)

► Je pense à des mots de la même famille pour
trouver la dernière lettre du mot.

couper

coup

Astuce et la lecture

Astuce te donne des trucs pour t'aider à mieux comprendre ta lecture.

Je prépare ma lecture :

- ► Je lis le titre.
- ► J'observe l'image.
- ► Je pense à ce que je sais.

Tout au cours de ma lecture :

 Je reconnais le mot.

 Je regarde autour du mot.

 Je découpe le mot en lettres et en syllabes.

 Je reconnais certains mots costumés.

Pendant et après ma lecture :

- ► Je vois des images.
- ► Je comprends ce que je lis.
- ► Je réagis au texte.
- ► Je m'évalue.